De bètacanon

Wat iedereen moet weten van de natuurwetenschappen

Redactie Robbert Dijkgraaf, Louise Fresco,
Tjerk Gualthérie van Weezel en Martijn van Calmthout

de Volkskrant
MEULENHOFF

De Commissie-Dijkgraaf:
- Sander Bais
- Robbert Dijkgraaf.
- Louise Fresco
- Bas Haring
- Salomon Kroonenberg
- Harry Lintsen
- Frans van Lunteren
- Ronald Plasterk

Eindredactie:
- Martijn van Calmthout
- Tjerk Gualthérie van Weezel

www.meulenhoff.nl
ISBN 978 90 290 8055 2 / NUR 910

De bètacanon

VOORWOORD

IN EEN VER VERLEDEN, VOOR IK DE WETENSCHAP VERLIET, WAS IK ENTHOUSIAST lid van de canoncommissie. Lid ben ik niet meer, maar enthousiast ben ik nog steeds over de bètacanon. Wat zou elk ontwikkeld mens eigenlijk moeten weten over de wereld waarin we leven? Van de oerknal, via de schuivende continenten tot DNA en atoom. Die kennis is voor iedereen, alfa, bèta of gamma, van belang en hoort net zo zeer bij onze cultuur als kennis over de geschiedenis van ons land. Het zijn de grote doorbraken in de bètawetenschappen die ons welvaart hebben gebracht: het bevorderen van hygiëne, het beheersen van kracht en elektriciteit. Maar er is zoveel meer: het begrijpen van hoe de wereld om ons heen in elkaar zit, van virus tot elementaire deeltjes, van oerknal tot ecosysteem, is de grootste uitdaging van de mensheid.

Ik ben er zeker van dat deze canon zijn weg zal vinden: in lagere en middelbare scholen, bij studenten, in discussiegroepen, bij volksuniversiteiten en musea. Ik daag iedereen uit om de onderwerpen van de canon verder vorm te geven. Want net zoals goede wetenschap betaamt: de canon is nooit af.

Ronald Plasterk, *minister van Onderwijs, Cultuur en Wetenschap*

INHOUD

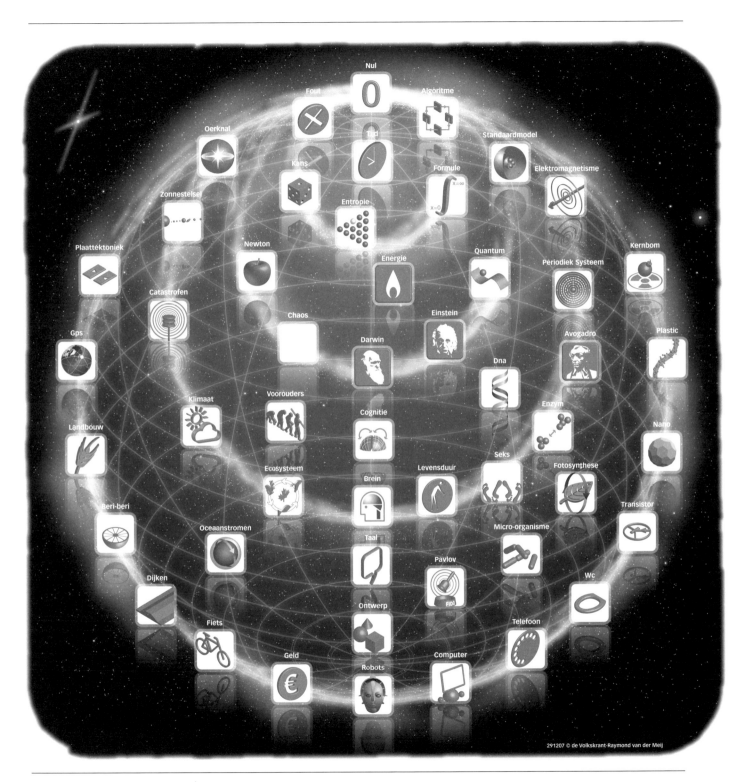

291207 © de Volkskrant-Raymond van der Meij

INLEIDING

Robbert Dijkgraaf en Louise Fresco

W AT ZOU IEDERE NEDERLANDER VAN NATUURWETENSCHAP EN technologie moeten weten? Voor velen is dat maar een vreemde vraag. Want bètavakken hebben vooral een aura van ontoegankelijkheid. Het is een terrein dat men graag overlaat aan de technische experts die de moeilijke geheimtaal hebben leren ontcijferen. Al die genen, deeltjes, chips en sterren zijn vooral ver, héél ver van ons bed. Het eenvoudigste antwoord op de vraag is dan ook: niets.

Het idee voor deze bètacanon ontstond dan ook in eerste instantie als reactie[1] op de historische canon, opgesteld in 2006 door de commissie-Van Oostrom[2], die een getrouwe afspiegeling van deze angst voor de bètavakken liet zien. Zo was Nederlands belangrijkste natuurwetenschapper Christiaan Huygens de grote afwezige in de eerste versie van de nationale canon – een omissie die gelukkig in de definitieve versie is gecorrigeerd. Dit is toch een typisch Nederlands verschijnsel. Als er ooit een Engelse canon in vijftig vensters zou worden opgesteld, dan is het ondenkbaar dat Newton en Darwin daarin zouden ontbreken. In een Franse variant zouden Pasteur en de familie Curie een goede kans maken en Duitsland zou niet aarzelen Einstein te noemen. De historische canon is in feite een zelfportret van Nederland. Dit is blijkbaar hoe Nederland zichzelf ziet en voor velen is in dat zelfbeeld geen plaats voor de natuurwetenschappen en techniek. Géén wetenschap-pelijke revolutie van de zeventiende eeuw, toen geleerden als Huygens en Van Leeuwenhoek de grootste ontdekkingen in het heelal en de microkosmos deden en de absolute wereldtop vormden. Géén tweede Gouden Eeuw, zo rond 1900, ten tijde van Nobelprijswinnaars als Lorentz en Van 't Hoff, gedeeltelijk het gevolg van de instelling van de HBS. En niets over de naoorlogse bloeiperiode, waarin ook delen van de Nederlandse medische, landbouw- en voedingswetenschappen tot de top gingen behoren.

Toch zagen we vele goede argumenten om géén bètacanon te maken. Allereerst is het onverstandig – zowel intellectueel als politiek – om de bèta's apart te zetten. Zoals gezegd, natuurwetenschap en techniek worden toch al snel in een vakje gestopt dat alleen voor de experts toegankelijk is. Ook de historische en nationale betekenis, zo cruciaal voor de nationale canon, is hier veel minder duidelijk aanwezig. Natuurwetenschappelijke kennis is grotendeels waardevrij en universeel – de massa van het elektron is overal, altijd en voor iedereen hetzelfde – en vernieuwt zich continu, waarbij de geschiedenis ook nog een aaneenschakeling van misvattingen en halve waarheden is. Maar misschien is het belangrijkste argument tegen een bètacanon wel dat hij tegennatuurlijk is: een canon past niet bij de aard van de natuurwetenschappen, want is per definitie niet uitputtend en zal altijd een tijdelijk karakter houden. Een echte natuurwetenschapper maakt geen keuzes. Een entomoloog omarmt ieder kevertje, hoe onaanzienlijk ook, als ware het de culminatie van de schepping. Fysici raken door de zeldzaamste elementaire deeltjes begeesterd en wiskundigen wentelen zich zonder enige schuldgevoelens in de volstrekte nutteloosheid van imaginaire werelden. De natuur en onze ideeën daarover zijn onuitputtelijk in hun diversiteit, kennen geen vanzelfsprekende ordening en groeien organisch, als het leven zelf. Waarom zou een gemiddelde mening van een willekeurig samengestelde commissie daar een selectie uit willen maken? Dat is toch een werkwijze die wezensvreemd is aan het natuurwetenschappelijke bedrijf? Is het dan niet beter het nationale canoniseerspel aan deze deur voorbij te laten gaan?

Zo'n onthouding is echter een te gemakkelijke oplossing, omdat ze voorbijgaat aan het belangrijkste argument vóór een bètacanon. Natuurwetenschappelijke kennis is namelijk een integraal onderdeel van onze cultuur. Zij is niet uitsluitend bedoeld voor de vakexperts, maar is, in gepaste dosering, wezenlijk voor iedere burger van de eenentwintigste eeuw. De grote keerpunten in de natuurwetenschap hebben onze cultuur ingrijpend beïnvloed en ons wereldbeeld drastisch veranderd, soms veel sterker dan de canonieke veldslagen, keizers en koningen die als keerpunten van onze cultuur worden gezien. Denk aan de talloze mensenlevens die gered zijn door zoiets alledaags als een verbeterde hygiëne. De technologische vooruitgang is de stille kracht van de geschiedenis.

Naast de feitelijke kennis is er ook een hoger goed: de natuurwetenschappelijke methode, de manier van kijken naar de wereld, het ontdekken en uitproberen, het stellen van hypotheses en, niet te vergeten, het gevoel zeker te weten dat iets honderd procent fout is. Vooral in Nederland is het hard nodig deze culturele dimensie te benadrukken, want ons land heeft een blinde vlek waar het de brede waardering van natuurwetenschap en techniek betreft. Zeker in vergelijking met de Angelsaksische landen worden deze vormen van kennis hier stelselmatig onderbelicht in het onderwijs en in de publieke beleving. Zo is er op dit moment slechts een marginale rol van de bètavakken in het basisonderwijs, anders dan bijvoorbeeld in Frankrijk of Engeland. We hopen dat dit initiatief kan bijdragen dit ten goede te keren.

Nu zijn de bètawetenschappers gedeeltelijk zelf debet aan hun onzichtbaarheid. Met hun natuurlijke hang naar compleetheid en precisie, naar de laatste decimaal, schrikken ze velen af. Als het alles of niets is, wordt het snel niets. Vanuit de binnenkant gezien heeft die gesloten wereld iets aangenaam samenzweerderigs. Maar al is het behaaglijk toeven achter het schild van onbegrepenheid, de buitenwereld krijgt zo al snel het beeld van een autistische techneut, of nog erger: een *mad scientist*. Om deze overbekende kloof tussen alfa en bèta – de twee culturen van schrijver C.P. Snow – te dichten, is het noodzakelijk dat ook natuurwetenschappers durven te kiezen en laten zien waar het nu echt om draait. Dat zij appels en peren – of beter gezegd, genen en deeltjes – durven te vergelijken. Vele bèta's verzuchten dat zij wel het verschil tussen Balzac en Zola moeten weten, maar dat alfa's niet hoeven te weten dat... Ja, wat vul je dan in op die open plek? Dat antwoord blijkt voor natuurwetenschappers helemaal niet zo vanzelfsprekend en eenduidig te zijn, want een keuze voor het één wordt als een verlies voor het ander ervaren.

Vandaar dat er nu tóch een bètacanon ligt, niet als laatste oordeel, maar eerder ter stimulering van de discussie. Niet opgesteld door een vertegenwoordiging van de 'bètalobby' met het doel meer wiskundigen of puntlassers op te leiden, maar als initiatief van een aantal breed geïnteresseerden, die graag een antwoord willen geven op de vraag: wat zou iedere Nederlander van natuurwetenschap en technologie moeten weten? Onder leiding van de commissie[3] hebben vijftig jonge wetenschappers de onderwerpen uitgewerkt, die in 2007 elke week in *de Volkskrant* zijn verschenen. Daarna was er voor iedereen de mogelijkheid om via de wikipedia-methode op het web de stukken aan te vullen en te corrigeren. De hoofdstukken in dit boek zijn op deze stukken gebaseerd en aangevuld met interessante verwij-zingen.

Het resultaat is een indrukwekkend panorama van de natuurwetenschappen geworden. De bètacanon zoals die hier voorligt strekt zich uit van algoritme tot zonnestelsel, van DNA tot GPS, van het standaardmodel tot de schuivende continenten. Wat een rijkdom aan onderwerpen! Terugkijkend heeft de commissie eigenlijk nauwelijks geaarzeld: ja, zonnebril (en dus de optica) en de bloedsom-loop zijn er afgevallen, maar dat zijn er maar een paar. Uitgaande van de vraag: wat behoort er echt tot onze cultuur en wat moet een krantenlezer minstens weten van wiskunde, natuurkunde, scheikunde, biologie en techniek, kwam de lijst toch vrij gemakkelijk tot stand. Uiteindelijk was de belangrijkste vraag: zijn de onderwerpen, mits breed genoeg geïnterpreteerd, in staat de natuurwetenschappelijke wereld als een atlas van kaarten te overdekken?

Net als de natuurwetenschappen zelf is deze bètacanon organisch en niet-lineair gegroeid. Er lag geen intelligent design klaar, toen de commissie aan het werk ging. We waren overtuigd dat het mogelijk moest zijn met de aloude beoorde-lingsmethode van het *peer review* onderwerpen te kiezen en uit te werken. Na een opwindende brainstormsessie waren we het heel snel eens over twintig, dertig onderwerpen die er volgens iedereen beslist in moesten: tijd en transistor, nul en nano – om maar iets te noemen. Vervolgens hebben we in een paar ronden een lijst met aanvullende onderwerpen opgesteld. Telkens hebben we geprobeerd de verschil-lende dimensies van de onderwerpen recht te doen. Zo is er het universele concept (bijvoorbeeld ecosysteem), de historische context (Engelse vegetatiekundigen in de jaren dertig) en de actuele toepassing (natuurbescherming). Hierbij hebben we dankbaar gebruik gemaakt van een briljante vondst van de commissie-Van Oostrom, die innovatief gebruik maakt van vensters, doorkijkjes waarin verschil-lende aspecten van één onderwerp zichtbaar zijn. Ook hier wordt deze sympathieke technologie gebruikt en wordt er per onderwerp een blik geworpen op de verschillende 'dimensies'. In geen geval zijn het inkijkjes in de huiskamers van welgeordende rijtjeshuizen zijn, want alle kamers zijn uiteindelijk met trappen, gangen en tunnels op ingewikkelde wijze met elkaar verbonden, als een labyrint van Escher.

Wat is nu werkelijk bèta aan deze lijst en aan de manier waarop de onderwerpen zijn beschreven? Want natuurlijk bestaan er raakvlakken met de Canon van Nederland, *entoen.nu*. Sommige onderwerpen hebben in beide canons een plaats gevonden. Zo treft u in de Nederlandse canon de Beemster en bij ons de dijk. En uiteraard Christiaan Huygens, die tot ons genoegen nu zijn verdiende plaats heeft gevonden in de definitieve versie van de nationale canon, met de kantekening dat deze wijziging – een van de vijftig onderwerpen – slechts een twee-procent-correctie bedraagt en daarmee ruim binnen de foutmarge van de geschiedschrijving valt. Het is een goed gebruik in de natuurwetenschappen niet alleen de data te presenteren, maar ook de onzekerheden aan te geven. Zo moeten ook de onderwerpen in deze bètacanon gelezen worden, zeg maar plus of minus supergeleiding of de laser.

Een bètacanon is in eerste benadering gelijk voor ieder land – een slingeruurwerk is een slingeruurwerk, fotosynthese is fotosynthese. Maar in tweede benadering is het toch van belang dat Christiaan Huygens dit in Nederland heeft uitgevonden. Zulke gegevens vormen een wezenlijk onderdeel van onze nationale identiteit. Onze bètacanon is per definitie niet nationaal en maar zeer ten dele historisch. Toch kan aan deze canon een klein Nederlands tintje niet worden ontzegd – denk maar aan de dijk of aan de fiets. Hoe anders zou een Franse, Amerikaanse of Chinese bètacanon eruitzien? Zouden we dan de lemma's Eiffeltoren, auto en buskruit tegenkomen?

De nationale geschiedeniscanon was gerangschikt langs de as van de voortschrijdende tijd. De bijbehorende poster vertoont dan ook een mooie slang van historische iconen. Voor de bètacanon ligt die ordening ingewikkelder. Natuurlijk hebben de onderwerpen een zekere chronologische volgorde. DNA komt na Darwin, atoombom na Einstein. Maar uiteindelijk leert die historische benadering ons maar weinig. Vaak liggen de onderwerpen min of meer synchroon, zoals elektromagnetisme en periodiek systeem, zonder logisch verbonden te zijn. Nee, als we de vijftig onderwerpen overzien, dan is er eerder sprake van een ordening van klein naar groot. De blik van de bèta is een hiërarchische blik die zoekt naar opschaling en symmetrie, anders dan in de sociale wetenschappen waar het niveau van de mens en de menselijke samenleving het vanzelfsprekende centrale cluster is. Als de bètacanon ons iets leert, dan is het juist hoe relatief de menselijke maat is.

We kunnen onze ordening het beste weergeven door uitwaaierende, logaritmische cirkels (zie figuur op p. 10) van enerzijds tijd- en ruimteschalen en anderzijds toenemende concreetheid. Langs de rand loopt u van klein naar groot. Rechts staan de kleinste ruimteschalen en kortste tijdschalen, het subatomaire en subcellulaire niveau met onderwerpen als kwantum en enzym. Links bevinden zich de macroschalen, met oerknal, zonnestelsel en plaattectoniek. Tussen groot en klein bevindt zich een groot aantal onderwerpen die de menselijke schaal vertegenwoordigen. Hoe verder we in deze waaier naar buiten gaan, des te toegepaster de onderwerpen worden. Fiets en wc staan helemaal aan de rand. Van boven naar beneden loopt er een as van metaconcepten zoals nul en fout via theorieën (Darwin, evolutie) naar technologie (robots). Een van de opvallendste eigenschappen van de natuurwetenschappen is dat zij op zo'n natuurlijke manier in gescheiden domeinen uiteenvallen, elk met zijn eigen begrippen, methoden en taal. De wereld van een bioloog die tropische oerwouden bestudeert, is echt een andere dan die van de fysicus die elementaire deeltjes op elkaar schiet. De ene kan niet zonder de ecologische theorie, de andere niet zonder constante van Planck.

Er bestaan dus vele kamers in het huis van de natuurwetenschappen, zoals de onderwerpen in de canon illustreren. Maar al die verschillende gebieden staan wel met elkaar in verbinding. Uiteindelijk komt ook de ecoloog in het tropische regenwoud bij de fysica uit en is de natuurkundige geïnteresseerd in de natuurlijke verschijnselen die uit de fundamentele wetten volgen. De natuurwetenschapper snijdt de wereld in plakjes en verbaast zich er vervolgens over hoe mooi die plakjes weer in elkaar passen. In die samenhang kunnen we twee belangrijke mechanismen onderscheiden, die eigenlijk elk een eigen plek in de canon verdienen, ware het niet dat zij in bijna elk onderwerp aan bod komen.

Ten eerste is er het reductionisme: ingewikkelde zaken tot hun elementaire bouwstenen terugvoeren. Ook al heeft deze stroming in sommige kringen een slechte naam, het reductionisme is een onvoorstelbaar succesverhaal gebleken. Dat alle materie uit deeltjes is opgebouwd, of dat organismen een blauwdruk in hun DNA hebben, gooit hoge ogen als een feit dat iedereen over de natuur zou moeten weten. De woorden van Democritus, de vader van de atoomtheorie, hadden een profetisch karakter: 'Volgens afspraak is er kleur, volgens afspraak zoet, volgens afspraak bitter, maar in werkelijkheid zijn er alleen atomen en ruimte.' Complete vakgebieden zijn ontstaan toen bleek dat de natuur in nog kleinere onderdelen begrepen kon worden – de kernfysica of de moleculaire biologie.

Het tweede mechanisme gaat precies de andere kant op en staat bekend als emergentie: het geheel is meer dan som van der delen en spontaan kunnen nieuwe begrippen en verschijnselen ontstaan, als je maar genoeg elementaire bouwstenen bij elkaar voegt. Zo is bewustzijn een eigenschap van het totale neurale systeem van onze hersenen en moeilijk toe te schrijven aan individuele zenuwcellen. Ook het zichzelf reproducerende leven is bij uitstek een emergent verschijnsel, dat uit de veelheid van chemische reacties in de cellen ontstaat. Maar emergentie is niet slechts voorbehouden aan de biologie. Ook in de harde fysica zijn vele voorbeelden te vinden. Neem de eigenschappen die we zo vanzelfsprekend aan materie toeschrijven: warm of koud, hard of zacht, vast of vloeibaar. Dit alles wordt betekenisloos op het moleculaire niveau. Een atoom is zacht noch vloeibaar, daar had Democritus groot gelijk in. Het wonder is niet slechts dat die eigenschappen verdwijnen als we materie tot atomen reduceren, maar ook dat uit de simpele eigenschappen van atomen rijke gewaarwordingen als kleur, zoet en bitter kunnen ontstaan.

Als we de bètawetenschappen zien als een grote torenflat, met op iedere verdieping een wetenschappelijke discipline, met de kleinste schalen onderop en de aller- grootste boven, dan zijn reductie en emergentie de trappen die omlaag en omhoog voeren. Van moleculen naar materiaal, van cellen naar brein. En vice versa. Je kunt het ook anders zeggen: om een bepaalde etage te bereiken, zul je altijd via een andere etage moeten komen: of eentje hoger, of eentje lager. Op deze wijze is de bètacanon een levend geheel: gescheiden onderwerpen met hun eigen wetmatigheden, maar permanent in een levendige dialoog verwikkeld.

Een andere dialoog die centraal in de bètacanon staat, is de wisselwerking tussen concept of theorie en de technologische toepassing. Die drie versterken elkaar: slijpen van glas tot lenzen maakte het mogelijk om microscopen en telescopen te bouwen en zo de wereld van micro-organismen en hemellichamen te bestuderen. En die ontdekkingen leidden weer tot talloze nieuwe theorieën. Veel meer dan in andere wetenschapsvelden staan hypothese en toetsing daarbij voorop, al neemt dat niet weg dat serendipiteit en intuïtie, toevallige ontdekkingen en associaties, in de geschiedenis van de bètawetenschappen een veel belangrijkere rol hebben gespeeld dan algemeen wordt gedacht. Er is veel gelukkig toeval in deze canon te vinden. Ten slotte is er de dimensie van de actualiteit. Of het nu de werking van het hiv-virus, de energiecrisis of de klimaatverandering, de bètaproblematiek vindt steeds vaker de weg naar de voorpagina van de krant. Enerzijds wordt ons leven door technologie bedreigd, anderzijds zullen de oplossingen door diezelfde technologie en daarop gebaseerde regelgeving gevonden moeten worden. Enige basiskennis van de regels van dit complexe schaakspel is nodig om onze wereld te begrijpen.

Zouden we de onderwerpen toch op een historische tijdschaal afbeelden, zoals bij de nationale canon, dan valt direct op hoe jong de natuurwetenschappen zijn. Natuurlijk zijn er eeuwenoude, bijna tijdloze onderwerpen, zoals tijd, nul of landbouw, maar de meeste onderdelen verschijnen pas vanaf het midden van de negentiende eeuw en weerspiegelen de grote wetenschappelijke ontdekkingen van de moderne tijd. In de bètacanon uit 1900 zouden opvallend weinig onderwerpen van onze versie staan. Ruwweg de helft was toen nog onbekend. De lijst van nieuwkomers is indrukwekkend – Einstein, DNA, kwantum, kernbom, transistor, computer – en weerspiegelt het moderne wereldbeeld. In de lijst van honderd jaar geleden zouden die plaatsen zijn ingenomen door onderwerpen die we nu niet meer de moeite waard vinden, zoals mechanica en salpeterzuur. In dat licht bezien is het spannend je af te vragen wat de halfwaardetijd van de huidige onderwerpen is. Hoelang zullen ze mee gaan? Staan op de canon van 2100 nog GPS en transistor en plastic? Of zijn zij dan allang vervangen door andere toepassingen en worden onderwerpen als beri-beri (voedsel) irrelevant geacht? Vinden we de snaartheorie terug als 'theorie van alles' of staat het onder het lemma fout?

Zeker is wel dat deze lijst een turbulente tijd tegemoet gaat. We leven in een periode van grote wetenschappelijke ontdekkingen en het tempo lijkt alleen maar toe te nemen. We kunnen niet anders dan optimistisch voor de toekomst zijn, als we zien hoeveel jonge mensen zin hebben om aan dit avontuur deel te nemen. Het is moeilijk te voorspellen welke ontdekkingen en uitvindingen zij zullen gaan doen, maar zeker is dat er ook in een toekomstige bètacanon weer vijftig prachtige onderwerpen zullen staan.

In die zin heeft dit project ook een symbolische waarde: het enthousiasme waarmee iedereen dit heeft opgepikt, in het bijzonder de vijftig jonge auteurs, is voor ons een weerspiegeling van de kracht, potentie en verbeelding van de natuur-wetenschappen. Een avontuur waar iedereen op haar of zijn eigen manier onderdeel van kan zijn. Daarom begint het echte werk nu pas met het publiceren van deze bètacanon. Net als de onderwerpen die hij beschrijft, moet nu ook deze canon een weg vinden naar het grote publiek, te beginnen in het onderwijs, liefst het basison-derwijs. Want als er één groep is, wiens leven door deze onderwerpen bepaald zal worden, dan is dat de groep jonge kinderen.

1 Robbert Dijkgraaf, Louise Fresco, 'Waar is Christiaan Huygens gebleven?' NRC Handelsblad, 18 oktober 2006

2 http://www.entoen.nu

3 De Commissie Dijkgraaf bestaat uit Louise Fresco, Salomon Kroonenberg, Frans van Lunteren, Bas Haring, Harry Lintsen, Sander Bais en Robbert Dijkgraaf. Tot zijn aantreden als minister van Onderwijs, Cultuur en Wetenschap, maakte ook Ronald Plasterk deel uit van het gezelschap.

NUL

Zonder het getal nul was rekenen
nooit verder gekomen dan simpel
tellen

Oud-Syrisch kleitablet

Het niets dat toch getal is

VINCENT VAN DER NOORT

N UL IS EEN VANZELFSPREKEND DEEL VAN HET DAGELIJKS LEVEN. '0% vet', roept de snoepverpakking. 'Vandaag 1,20 euro', zegt de krant. Toch heeft de mensheid het lang zonder een symbool voor 'het niets' moeten stellen. En de ontdekking ervan heeft grote gevolgen gehad. Nul is namelijk de basis van het notatiesysteem voor getallen dat onvoorstelbare hoeveelheden behapbaar maakt. Nul opent de weg naar de moderne wiskunde.

Wie 12.544 bij 225 moet optellen, heeft waarschijnlijk binnen enkele seconden het goede antwoord. Niet omdat hij ooit 12.544 stuks van wat dan ook bij elkaar heeft gezien, laat staan dat er op dat moment net toevallig 225 extra 'watdanooks' bijkwamen. Hij berekent het antwoord met het 'positionele' getallennotatiesysteem, waarin dezelfde cijfers staan voor verschillende betekenissen, afhankelijk van hun plaats in het getal.

De twee in 12.544 betekent tweeduizend, de tweeën in 225 staan voor tweehonderd en voor twintig. Voor de rekenaar van nu vanzelfsprekend, maar het systeem dat de Romeinen gebruikten, ligt op het eerste gezicht meer voor de hand: hoeveelheden als honderd, vijftig, tien en vijf hebben elk hun eigen letter. Honderd plus honderd plus tien plus tien plus vijf, CCXXV, is 225 in Romeinse cijfers. Maar de Romeinen konden het bovenstaande sommetje niet eens opschrijven, laat staan snel uitrekenen.

Al voor de Romeinse tijd, rond 1600 voor Christus, waren de Babyloniërs de

→ In 1585 publiceerde Simon Stevin, een Bruggenaar die zich tijdens de Tachtigjarige Oorlog in Leiden gevestigd had, het boek *De thiende*. Dat was vooral bedoeld om het verwarde stelsel van maten en gewichten in de Lage Landen te uniformeren, maar het is bekend geworden omdat het decimale breuken in Europa in zwang bracht.

eersten die een positiesysteem gebruikten. Zonder nul echter: het verschil tussen 2 en 2000 wachtenden, of tussen 11 en 1001 nacht, moest uit de context blijken. Pas rond 300 voor Christus introduceerde een Babyloniër twee schuine streepjes om het verschil tussen 12, 102 en 1002 aan te geven. Nullen aan het eind werden echter nooit geschreven: 12 kon zowel 12 als 1200 betekenen. Ongeveer honderd jaar later ontstond in India een positiesysteem waarin nul de rij wel mocht sluiten. Aan Europa ging het allemaal voorbij.

Daar werd nul in 1202 geïntroduceerd door Leonardo van Pisa, beter bekend als Fibonacci. Hij had, als zoon van een rechter in een van Pisa's Noord-Afrikaanse koloniën, de kans veel te reizen in het Middellandse-Zeegebied. Hij raakte gefascineerd door de Indisch-Arabische getallennotatie en zag kans Europese wiskundigen van de kracht en schoonheid ervan te overtuigen.

Na de uitvinding van de drukpers veroverde nul snel bekendheid bij een groot publiek. Met name kooplieden wilden graag kennismaken met de tien Arabische tekentjes die alle denkbare berekeningen veel makkelijker maakten. De bijzondere plek die nul daarbij innam blijkt uit het Nederlandse woord 'cijfer'. Dit stamt van het Arabische 'sifr', dat nul betekent. 'Nul' zelf stamt van het Latijnse 'nullus', dat 'niemand' betekent.

De Europese notatie van getallen is afgeleid van het West-Arabische schrift, dat in de huidige Arabische wereld in onbruik is geraakt. Daarom bestaan er nu verschillen tussen de Europese en Arabische getalsnotatie. Het Arabische schrift gebruikt een punt voor 'nul', maar er zijn oude manuscripten waarin 'nul' een klein cirkeltje is, als een ring waarbinnen het niets gevangen is.

Interessanter dan het cijfer is het getal nul. Dat nul een getal is, is een belangrijke stap naar een abstract getalbegrip. Eeuwenlang ging wiskunde over concrete problemen. Boeren wilden weten hoeveel paarden ze hadden als ze er van de ene handelaar twee kochten en van de ander vijf. En natuurlijk kon de slager vertellen dat hij 'geen' biefstuk meer had, maar kreeg hij ze weer binnen, dan telde hij niet nul plus acht op. Dan had hij gewoon acht biefstukken. De oudst bekende vermelding van nul 'op zichzelf' (dus niet als letterteken in een groter getal) stamt pas uit 458 na Christus.

Negatieve getallen volgden daarna vrij snel, hoewel de voor de hand liggende bezwaren ('minder dan niets kan toch niet') door de eeuwen heen bleven opduiken.

Negatieve getallen vormen een mooi voorbeeld van vooruitgang in de wiskunde: je begrijpt iets minder van wat je aan het doen bent, maar alle berekeningen (in dit geval met schulden en temperaturen) worden een stuk makkelijker. De weg naar negatieve getallen werd vrijgemaakt door het getal nul immers: 'Wie van 10 naar -10 wil zal eerst langs 0 moeten'.

Daarbij haalt nul definitief 'het oneindige' de wiskunde binnen. Hoeveel zou 1 gedeeld door 0 moeten zijn? 1 gedeeld door iets kleins is iets groots. 1 gedeeld door iets heel kleins, is iets heel groots. Iets dat groter is dan alle getallen: oneindig. 'Delen door nul is flauwekul,' vatten veel moderne wiskundeleraren de discussie samen, wat in elk geval beter rijmt. De waarheid is dat '1 gedeeld door 0 is oneindig' vaak wel degelijk betekenis heeft, maar dat die betekenis erg van de situatie afhangt. Er zijn vele soorten oneindig.

De gedachte aan het oneindige kan bij ons soms nog de beklemming oproepen die de oude Indiërs en Grieken gevoeld moeten hebben bij de gedachte aan 'het niets', tegenwoordig door nul hanteerbaar gemaakt. Hoewel, hanteerbaar? In 1997 liep een Amerikaans oorlogsschip vast vlak buiten de haven omdat de boordcomputer door nul probeerde te delen. De Romeinen veroverden de gehele bekende wereld zonder ooit van het getal nul gehoord te hebben. Je kunt je afvragen wat vooruitgang is.

De Amerikaanse wiskundige John Allen Paulos schreef een aantal onderhoudende boeken over cijfers en gecijferdheid, waarvan *Een wiskundige leest de krant* (Bert Bakker, 1995) een klassieker is. In Museum Boerhaave in Leiden zijn enkele van de instrumenten te zien waarmee Kamerlingh Onnes in 1908 helium vloeibaar maakt (www.museumboerhaave.nl) bij bijna het absolute nulpunt.

Heike Kamerlingh Onnes

→ In de natuurkunde staat het absolute nulpunt voor de laagst mogelijke temperatuur, iets meer dan 273 graden onder nul. Vlak bij dat nulpunt wordt zelfs het hardst tegenstribbelende gas, helium, vloeibaar. De eerste die erin slaagde dat te maken, was de Leidse onderzoeker Heike Kamerlingh Onnes, die er in 1908 de Nobelprijs voor kreeg.

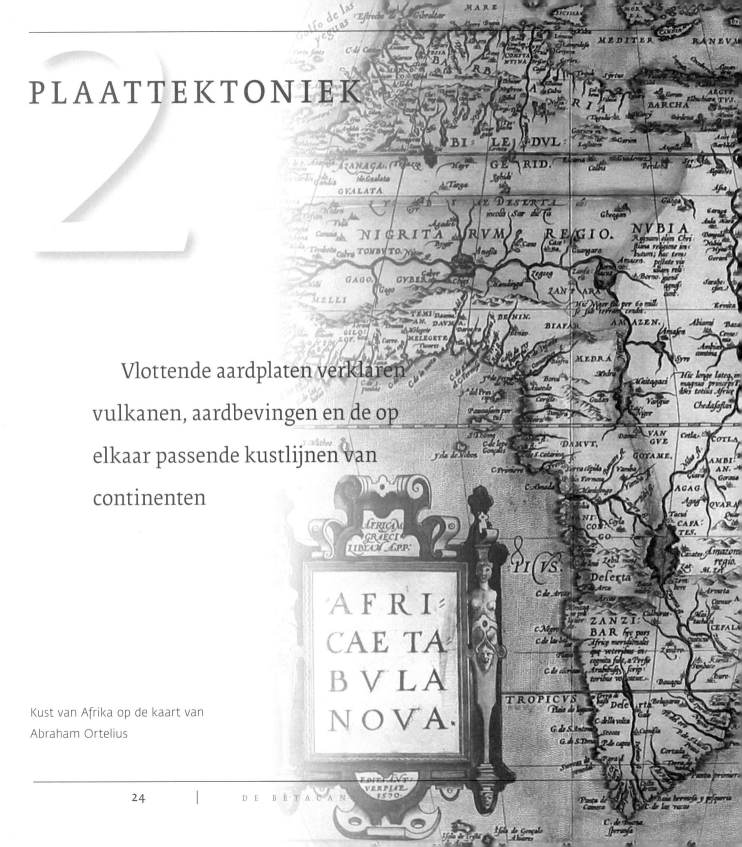

PLAATTEKTONIEK

2

Vlottende aardplaten verklaren
vulkanen, aardbevingen en de op
elkaar passende kustlijnen van
continenten

Kust van Afrika op de kaart van
Abraham Ortelius

Op puzzel aarde beweegt alles

MARIT BROMMER

→ De Nederlandse geoloog Felix Vening Meinesz (1887-1966) was hoogleraar in Utrecht en Delft en deed baanbrekende metingen van de zwaartekracht op aarde vanuit duikboten op zee. Hij ontwikkelde daartoe een eigen precisie-instrument, waarmee hij de exacte vorm van de aardbol wilde vaststellen. In 1937 werd hij een bekende Nederlander toen er een bioscoop-film over een van zijn expedities naar Indonesie werd gemaakt. Tussen 1945 en 1951 was Vening Meinesz directeur van het KNMI in De Bilt.

'DE SPOREN LATEN DUIDELIJK ZIEN DAT DE KUSTLIJNEN VAN DE DRIE grote continenten naadloos in elkaar passen.' Dat schreef Abraham Ortelius rond 1570 in de kantlijn van zijn meesterwerk *Theatrum Orbis Terrarum*. De Vlaamse kaartenmaker suggereerde dat de continenten uit elkaar zijn gerukt door de woeste kracht van aardbevingen en vulkanen. Ortelius sloeg de spijker bijna op zijn kop: 250 miljoen jaar geleden vormden de continenten inderdaad een grote landmassa, Pangaea genaamd. Maar het zijn niet de aardbevingen en vulkanen die hen in beweging brachten. Het is andersom.

Plaattektoniek, zo is inmiddels bekend, is het mechanisme dat de beweging van de continenten veroorzaakt. Gebergtevorming, vulkanisme en aardbevingen, het is er allemaal mee te verklaren. Tot het begin van de twintigste eeuw dachten de meeste geologen dat de posities van oceanen en continenten onveranderlijk waren. Maar in 1912 beweerde de Duitse meteoroloog Alfred Wegener dat de continenten ooit aan elkaar vast zaten. Hij baseerde die bewering, net als Ortelius, op in elkaar passende kustlijnen.

Bovendien kwamen aan weerszijden van de oceaan dezelfde fossielen voor en was het onwaarschijnlijk dat de bijbehorende planten en dieren de oceaan waren overgestoken, vond hij. Het vermoeden van Wegener werd door zijn tijdgenoten niet serieus genomen, vooral omdat hij geen geoloog was. Ook kon hij geen aannemelijk mechanisme aanvoeren dat het uiteendrijven verklaart.

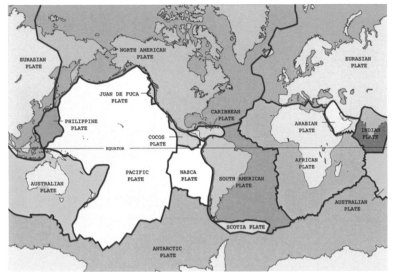

De voornaamste
aardplaten

De verklaring kwam uiteindelijk van de Britse geoloog Arthur Holmes, die suggereerde dat radioactief verval in de aarde de energiebron is die de continenten doet bewegen door stromingen in het binnenste van de aarde: convectie. Convectie valt goed op kleine schaal te bestuderen in een pan met groentesoep op het vuur. Door de warmte stijgen de groenten op in het midden. Vervolgens koelen ze af, drijven naar de rand en zinken weer.

Holmes kon zijn theorie niet wetenschappelijk bewijzen, maar zat er niet ver vanaf. Het buitenste gedeelte van de aarde (de lithosfeer) bestaat uit meerdere platen die met de snelheid van een groeiende nagel bewegen over de onderliggende taai-vloeibare massa (de asthenosfeer).

Hoe de platen ten opzichte van elkaar bewegen, werd pas duidelijk door grondig onderzoek van de oceaanbodem. De Nederlandse geofysicus Felix Vening Meinesz deed zwaartekrachtmetingen op zee en merkte dat langs diepzeetroggen, waar veel vulkanen en aardbevingen zijn, de zwaartekracht afwijkt. Dit schreef hij toe aan convectiestromingen.

Harry Hess, een leerling van Vening, ontdekte dat er midden in alle oceanen langgerekte onderzeese bergketens liggen. De mid-Atlantische rug bleek precies de contouren van Afrika en Zuid-Amerika te volgen. Bij de mid-oceanische ruggen bewegen de convectiestromen uit elkaar: het midden van de pan groentesoep. Omdat de aardplaten van elkaar af bewegen, worden hier diepe spleten getrokken, waarbij vloeibaar gesteente, magma, omhoog komt en stolt. Zo worden de continenten steeds verder uit elkaar gedrukt. De oceaanbodem heeft aan weerszijden van de rug precies dezelfde geologische opbouw.

Het oudste oceanische gesteente op de oceaanbodem blijkt nergens ouder dan 180 miljoen jaar te zijn, terwijl op de continenten gesteenten voorkomen van wel vier miljard jaar. Daarmee is wetenschappelijk bewezen dat de oceaankorst pas is ontstaan toen de continenten uit elkaar begonnen te drijven.

Als op de ene plaats nieuwe korst gevormd wordt, moet er ergens anders iets verdwijnen, anders zou de aarde steeds groter worden. Bij de diepzeetroggen gebeurt dat. De ene plaat schuift daar onder de andere (subductie), omdat hier de convectiestromen naar elkaar toe bewegen. De botsende platen bouwen een spanning op die hen schoksgewijs in beweging brengt. Dit kan ontaarden in heftige aardbevingen, zoals bij de tsunami van Tweede Kerstdag 2004.

In een subductiezone kan een ondergeduwde plaat zo sterk opwarmen dat hij gedeeltelijk smelt. Het magma stijgt dan op door de korst en vormt vulkanen aan het oppervlak. Nieuw-Zeeland en Japan zijn zo ontstaan, maar het verschijnsel vindt overal langs de randen van de Stille Oceaan plaats. Vanwege de catastrofale erupties die daarbij ontstaan, zoals de uitbarsting van de Krakatau in 1883 (34.000 doden), wordt de regio ook wel de 'ring van vuur' genoemd.

Waar oceanische en continentale korsten botsen, liggen diepzeetroggen naast grote gebergten, zoals bij de Andes. Maar de grootschaligste gebergtevorming vindt plaats als twee continentale platen botsen, zoals in de Alpen en de Himalaya.

Overigens kunnen platen ook langs elkaar schuren zonder dat er een wordt opgeduwd. Daarbij treden eveneens grote aardbevingen op, zoals in Californië langs de San Andreasbreuk. San Francisco en Los Angeles zullen door de verschuivingen langs die breuk over tien miljoen jaar tegen elkaar aanliggen.

→ Opvallend is dat de aarde de enige planeet in het zonnestelsel is met overduidelijk bewegende platen. Venus en Mars kennen echter wel vulkanen, reden voor sommigen om te speculeren dat beide planeten vroeger wel plaattektoniek kenden. Titan, de grootste maan van Saturnus, vertoont ook tekenen van schuivende platen.

Over geologie in relatie tot het klimaat gaat het boek *De menselijke maat: de aarde over tienduizend jaar* van Salomon Kroonenberg. Wie specifiek meer wil weten over plaattektoniek komt al gauw bij steviger Engelstalige kost, zoals *Plate Tectonics* van Naomi Oreske.

HYGIËNE

3

In de voortdurende strijd tegen ziekteverwekkers was het afvoeren van uitwerpselen de grootste doorbraak

Cholerabacteriën

De zetel van Hygieia

MARC STROUS

→ De rioolwaterzuivering wordt continu verbeterd. Zo vond de Delftse onderzoekster Merle de Kreuk in 2006 een methode om volgevreten bacteriën sneller naar de bodem van een vat te laten zinken. Daardoor kan evenveel water in zeventig procent kleinere vaten gereinigd worden bij een veel lager energieverbruik. Het Nederlandse ingenieursbureau DHV gaat er wereldwijd mee de boer op.

DE GEMIDDELDE LEVENSDUUR IN NEDERLAND IN 1866 WAS VEERTIG jaar. Infectieziekten zoals tuberculose waren de belangrijkste doodsoorzaak. In de Amsterdamse wijk de Jordaan heerste een cholera-epidemie die voor de derde keer in dertig jaar meer dan duizend levens eiste. Vandaag de dag worden Nederlanders tachtig zonder angst voor de tering of de blauwe dood, zoals de bijnaam van cholera luidt. De gruwelijke werkelijkheid van een dodelijke epidemie is verleden tijd – voorlopig.

Aan die omslag lagen twee belangrijke oorzaken ten grondslag. Ten eerste kreeg de wetenschap steeds meer inzicht in het hoe en waarom van besmettelijke ziekten. Daarnaast woedde er een beschavingsoffensief: het volk moest worden heropgevoed, omdat het dierlijk gedrag vertoonde, spuwde, vervuild was en op straat poepte. De verrassende samenvloeiing van deze parallelle stromingen is sinds jaar en dag in porselein gegoten: de wc.

De wc bestaat uit een stortbak gevuld met schoon water en een pot om op te zitten. Door aan een touw te trekken of een knop in te drukken, verschuift een afsluitklep op de bodem van de stortbak. Schoon water stroomt met kracht omlaag en sleurt de drollen de pot uit, de afvoer in. In de afvoer wordt de waterstroom nog versneld door een zwanenhals. Die vormt tegelijkertijd een barrière tegen stank en ander onheil uit het riool.

Sinds mensenheugenis bestaat het vermoeden dat goede hygiëne epidemieën

De handdoekmachine werd in de jaren dertig in ziekenhuizen geïntroduceerd als hygiënemaatregel

kan voorkomen. Het woord hygiëne is afgeleid van Hygieia, de Griekse godin van preventie en properheid. In de negentiende eeuw werd echter voor het eerst wetenschappelijk het verband tussen ziekten en sanitaire voorzieningen aangetoond – met behulp van statistiek. Dat is het werk van de 'hygiënisten', een stroming van vooruitstrevende artsen en wetenschappers. Beroemd is het onderzoek van John Snow tijdens de Londense cholera-epidemie van 1853. Statistisch onderzoek bracht hem tot de conclusie dat een pomp op Broad Street de bron van de besmetting was. Een aanpalende beerput bleek erin te lekken.

Besmettelijke ziekten zijn het werk van bacteriën en virussen. Dat werd in 1882 experimenteel aangetoond door Robert Koch. Het lukte hem bacillen uit longen van zieke cavia's te laten groeien in een glazen schaaltje. Met de geoogste bacteriën kon hij daarna gezonde cavia's ziek maken. Minder leuk voor de cavia's, maar hij liet wel zien dat tuberculose werd veroorzaakt door een bacterie, die nu bekend staat als Mycobacterium tuberculosis.

Onzichtbaar kleine levende wezens die ziek maken: nu ligt het voor de hand, maar de geschiedenis leert dat het bijzonder moeilijk was om het idee rond te krijgen. In Kochs tijd was de geur van verrotting, miasma, nog een gangbare verklaring voor cholera.

De lange aanloop die voorafging aan het succes van Koch en zijn tijdgenoten begon in de Republiek der Zeven Verenigde Nederlanden. Om precies te zijn in Delft, in 1674. Antoni van Leeuwenhoek was als lakenkoopman al vertrouwd geraakt met het gebruik van geslepen glas om handelswaar te inspecteren. Gedreven door nieuwsgierigheid perfectioneerde hij de kunst van de glasbewerking en knutselde een microscoop in elkaar waarmee hij dingen bijna vijfhonderd keer kon vergroten. Geen geringe prestatie, want een standaard lichtmicroscoop vergroot tegenwoordig maximaal duizend keer.

Van Leeuwenhoek zag zo als eerste mens de cel, de atomaire eenheid van het leven. Hij beschreef zaadcellen en bacteriën als 'kleine dierkens' in brieven aan de Engelse Royal Society, het belangrijkste wetenschappelijke instituut van die tijd. Daar geloofden de gentlemen aanvankelijk weinig van het onzichtbare 'Afrika van Leeuwenhoek', waargenomen in een druppel regenwater. Maar nadat een deputatie naar Delft was afgereisd om de bevindingen te controleren, werd Van Leeuwenhoek toegelaten tot de Society.

Bacteriën zijn cellen, een duizendste millimeter klein. Het zijn minuscule eiwitrijke 'bubbeltjes' met een stukje DNA. Daarop staat het programma geschreven dat de bacterie uitvoert. Die programma's kunnen best ingewikkeld zijn. Een beetje bacterie heeft meer dan vierduizend genen. Ter vergelijking: mensen hebben er ongeveer twintigduizend. Sommige bacteriën zijn ziekteverwekkers. Vibrio cholerae, bijvoorbeeld, produceert in de darmen een giftig eiwit dat twintig liter diarree per dag oplevert. Je hoeft geen rekenwonder te zijn om te bedenken dat dit dodelijk is.

Die twintig liter is nog niets in vergelijking tot de hoeveelheid ontlasting die er 's ochtends vroeg in Nederland wordt doorgetrokken. Via buizen onder woonerven en wegen stroomt het in de richting van de regionale rioolwaterzuiveringsinstallatie. Daar verblijft de organische massa enige tijd in grote bruine bubbelbaden waar bacteriën feesten op de uitwerpselen.

Het zuiveren van rioolwater is pas goed op gang gekomen na 1950. Nederland heeft hierin een voortrekkersrol gespeeld. De anaërobe (zuurstofloze) zuivering is nog steeds een duurzaam exportproduct. De rioolwaterzuivering is een uiting van hygiënische cultuur onder brede lagen van de bevolking, het eindproduct van een historisch unieke ontwikkeling die gemiddeld veertig levensjaren extra oplevert.

→De Delftse en Amsterdamse lakenkoopman en onderzoeker Antoni van Leeuwenhoek (1632-1723) ontdekte met enkelvoudige microscoopjes met zelfgeslepen lens eencellige organismen, die hij 'dierkens' noemde en voor kleine beestjes aanzag.

De geschiedenis van toilet en riolering staat luchtig beschreven in het boek *Flushed, how the plumber saved civilization* van W. Holding Carter. De stad Mohenjodaro, in het tegenwoordige Pakistan, had in het derde millennium voor Christus al rioolaansluitingen in ieder huis, die met water doorgespoeld werden. Ongeveer de helft van de hedendaagse wereldbevolking beschikt daar nog niet over.

TRANSISTOR

4

Elektronische apparaten, van telefoons tot computers, werken allemaal dankzij een klein schakelaartje dat met minieme stroompjes kan worden bediend

Replica van de eerste transistor

Een schakelaar voor de moderne tijd

GOVERT VALKENBURG

D E TRANSISTOR IS IN WEZEN NIETS MEER DAN EEN SCHAKELAARTJE. Toch is het zonder twijfel het belangrijkste element in de hedendaagse elektronica. Een elektrisch polshorloge met wijzers bevat er enkele tientallen. Een digitaal horloge enkele honderden tot duizenden, afhankelijk van het aantal foefjes dat erop zit. En in de Dual-Core Itanium processor van Intel zitten er zo'n anderhalf miljard. Overigens is met één transistor al een heuse AM-radio te bouwen.

Om de werking van elektronische elementen duidelijk te maken, gebruiken elektrotechnici graag de vergelijking met een waterleidingsysteem. Stel dat een stad als Nijmegen of Groningen van water zou worden voorzien door één grote leiding. In die leiding moet dan een kraan zitten om de watertoevoer af te sluiten. Zo'n kraan is dermate groot, dat hij niet met blote handen open of dicht te draaien valt.

Daarom bouw je de kraan zo dat je hem kunt bedienen met waterkracht, vanuit een klein leidinkje dat met een huis-tuin-en-keukenkraantje van water voorzien wordt. Een transistor werkt net zo voor elektrische stroom: je stuurt er een klein stroompje doorheen waarmee in een andere leiding een grote stroom geregeld kan worden. Die leiding kan op zijn beurt weer een andere stroom regelen. Enzovoort, tot er een ingewikkeld netwerk van leidingen ontstaat.

Het woord 'transistor' is een samentrekking van 'transconductance' (het overdragen van lading) en 'varistor', wat weer een samentrekking is van 'variable

→ Het technisch-wetenschappelijke en economische belang van de transistor is voor Nederland zeer groot. Zo heeft de (inmiddels verkochte) halfgeleider-divisie van Philips meer dan 25.000 patenten op haar naam staan. De divisie had in 2005 een omzet van 4,8 miljard euro. ASML, een groot bedrijf uit Veldhoven dat ooit van Philips is afgesplitst, fabriceert de fotolithografische machines die chips maken. Het bedrijf maakte in 2005 meer dan de helft van alle machines ter wereld. Ook ASMI uit Bilthoven is een grote wereldwijde leverancier van chip-machines.

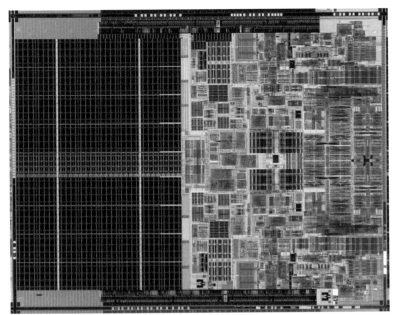

De nieuwste processoren bevatten meer dan een miljard transistoren

resistor' (variabele weerstand). De naam zegt dus precies wat het is: een variabele weerstand, waarvan de geleiding wordt over- gedragen vanuit een ander signaal. John R. Pierce bedacht de naam in 1948. Pierce was een medewerker van de Amerikaanse Bell Labora- tories, waar de eerste goed werkende transistor gemaakt werd.

Die eerste transistor was een onhandig, duimgroot apparaatje. Een lange reeks van verbeteringen heeft ervoor gezorgd dat er miljoenen bij elkaar gepropt kunnen worden op een plak silicium, een op aarde alom aanwezige grondstof. De moderne transistor kan tegen een stootje, gaat relatief lang mee en is goedkoop in grote aantallen te maken. Maar bovenal is er zo enorm veel met een transistor mogelijk. Hij kan versterken en schakelen, en met die twee functies kun je heel veel soorten apparaten bouwen.

Het overgrote deel van alle transistoren zit in digitale apparaten, bijvoorbeeld in computers en mobiele telefoons. Aan de basis van zulke digitale systemen liggen twee functies: opslaan en schakelen. Het schakelen gebeurt met de transistor. Het opslaan gebeurt in een condensator. Daarvan is de functie te vergelijken met een watertoren in het waterleidingsysteem: het kost wat moeite om het water erin te krijgen, maar als het er eenmaal in zit, dan komt het er met gemak vanzelf weer uit. Door transistoren open of dicht te zetten, kun je zorgen dat condensatoren vol- of leeglopen. Een combinatie van een condensator met enkele transistoren kan dus een éénbitsgeheugen vormen, en wordt ook wel flipflop genoemd.

De technologie om talloze minuscule transistoren en verbindende leidingen op een plakje silicium aan te brengen, heet fotolithografie. Een fotolithografische machine projecteert een patroon, te vergelijken met het negatief van een foto, op de plak silicium. Een reeks chemische processen zorgt ervoor dat de patronen in verschillende materialen op de siliciumplak worden geëtst. Zo wordt een gecompli- ceerd systeem gemaakt: de chip, soms maar een paar millimeter groot, is in staat tot ingewikkelde berekeningen.

Als je een mobiele telefoon uit elkaar schroeft of kapot laat vallen, zul je de chips niet open en bloot zien. Meestal worden ze in stevig zwart plastic gegoten om ze te beschermen. Uit dat plastic steken metalen pootjes om de chip met zijn omgeving te verbinden.

In de loop der tijd zijn transistoren steeds kleiner geworden. Op dit moment zijn er transistoren met een grootte van 50 nanometer ofwel een twintigduizendste millimeter. De zogeheten Wet van Moore stelt dat elke achttien maanden het aantal transistors op een chip verdubbelt. Ook tot de verbazing van opsteller Gordon Moore, een van de oprichters van de chipgigant Intel, gaat deze wet al tientallen jaren op.

Er zit wel een ondergrens aan de grootte van de transistor. Kleiner dan klein is op den duur niet mogelijk. Atomen hebben bepaalde afmetingen en het is niet mogelijk dingen te maken die kleiner zijn dan die atomen. Maar zelfs voordat die afmetingen bereikt worden, dienen zich al andere problemen aan. Als materialen in zulke kleine afmetingen worden toegepast, gedragen ze zich anders dan wanneer ze een tastbare grootte hebben.

Om grenzen steeds te verleggen, blijven wetenschappers op zoek naar nieuwe materialen en nieuwe productiemethoden. Zo zijn onderzoekers aan de Technische Universiteit Delft er in 2001 in geslaagd een transistor te bouwen waarbij één enkel elektron (de kleinste hoeveelheid elektrische lading die voorkomt) het verschil maakt tussen een transistor die aan staat en een die uit staat. Deze transistor is opgebouwd uit nanobuisjes van koolstof.

Een virtueel transistormuseum is te vinden op www.transistormuseum.com. John Bardeen, een van de uitvinders van de transistor, won niet alleen daarvoor een Nobelprijs, maar ook voor zijn bijdrage aan de verklaring van supergeleiding. Een recente biografie is *True genius, the life and science of John Bardeen* door Lillian Hoddeson en Vicki Daitch.

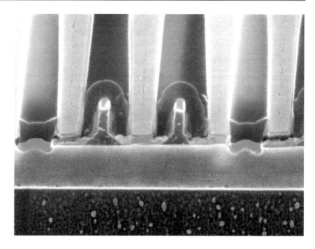

Doorgezaagde chip met twee transistoren

→ Dé transistor bestaat eigenlijk niet. Er bestaan enkele tientallen manieren om een apparaatje in elkaar te zetten dat zich als een transistor gedraagt. Ook zijn ze niet allemaal van silicium. En er bestaan tevens transistoren die niet elektrische stromen schakelen, maar lichtbundels.

ENERGIE

5

Behoud van energie is een
onwrikbare natuurwet, maar in de
praktijk raakt energie wel degelijk
ooit op

Zonnecellen

Voor niets gaat alleen de zon op

AB FLIPSE

→ Nederland heeft in
Petten een onderzoeks-
centrum dat geheel aan
energie gewijd is, ECN.
Bijna duizend mensen
studeren er op alle
denkbare energievormen,
van zon en wind tot
kernenergie (dat laatste
binnen de dochteron-
derneming NRG). Nog
eens honderden energie-
onderzoekers zitten in
Rijswijk bij het Shell
Exploration & Production
International Centre,
en bij universiteiten en
bedrijven door het hele
land.

EUWENLANG ZOCHT DE MENS NAAR EEN PERPETUUM MOBILE: een machine die zichzelf eeuwig in beweging houdt. Bijvoorbeeld een molen die graan maalt en tegelijkertijd een blaasbalg aandrijft die weer de wieken van de molen laat draaien. Die zoektocht was vruchteloos. Er is altijd energie nodig om werk te verzetten, energie van lichamelijke inspanning, de wind, straling van de zon, stromend water. Wat de zoektocht wel opleverde, was natuurkundig inzicht in wat energie precies is, hoe zij zich gedraagt en manifesteert.

Een exacte definitie van energie is niet makkelijk te geven. Zij is geen 'ding', maar eerder de toestand van een systeem. Ze is het vermogen om een situatie te veranderen. De potentie om 'arbeid' te verrichten.

Energie kent vele verschijningsvormen. Terwijl arbeid wordt verricht, gaat zij van de ene vorm over in andere vormen. Een batterij laat een lampje branden, kolen zorgen voor warmte, benzine drijft de zuigers in een motor aan. Ook in de natuur is er sprake van voortdurende energieomzetting. Zonlicht wordt via planten en algen overgedragen aan andere organismen. Tegelijk drijft de warmte van de zon het klimaatsysteem op aarde aan.

Alle energieomzettingen worden beheerst door de eerste hoofdwet van de thermodynamica, ofwel de wet van behoud van energie. Die stelt dat bij de omzetting van de ene vorm van energie in de andere er netto geen energie verloren gaat of bij komt. Deze behoudswet is een van de belangrijkste natuurkundige

Kernreactor bij het ECN in Petten

inzichten uit de periode tussen Isaac Newton (zeventiende eeuw) en Albert Einstein (twintigste eeuw).

Daarbij speelde de industrialisering van Europa een wezenlijke rol. Veel wetenschappers raakten vanaf de late achttiende eeuw gefascineerd door de nieuwe stoommachines, die warmte uit steenkool omzetten in beweging. Die omzetting bleek bij nadere beschouwing nooit volledig. De energie uit steenkool ging maar voor een deel over in bewegingsenergie. De rest ging over in andere vormen, zoals wrijving en restwarmte, die niet erg bruikbaar zijn. Dat is altijd zo: de eeuwig bewegende machine bestaat echt niet.

Tegelijk werden wel nieuwe verschijningsvormen van energie ontdekt. De Briste chemicus Michael Faraday zag hoe beweging van een magneet een elektrische stroom kon opwekken – en omgekeerd. Op dat principe zijn de dynamo (van beweging naar elektriciteit) en de elektromotor (van elektriciteit naar beweging) gebaseerd.

Een bijkomende inspiratiebron was in de tijd van de Romantiek het geloof in de eenheid der natuur. Velen geloofden dat aan de waargenomen omzettingsprocessen toch iets ten grondslag moest liggen dat onveranderd bleef. En nog steeds is de wet van behoud van energie een van de hoekstenen van de natuurkunde.

De voornaamste pioniers in het onderzoek naar energie waren de Engelse chemicus James Joule en de Schotse fysicus William Thomson, die later de titel Lord Kelvin kreeg. Thomson introduceerde de term energie. Voor zijn tijd sprak men liever van 'kracht' of 'behoud van kracht.'

De ontdekking van de radioactiviteit eind negentiende eeuw bracht de behoudswet kort aan het wankelen. Het was onduidelijk waar de hoge energie van straling vandaan kwam. Nieuwe atoommodellen gaven uiteindelijk een bevredigende verklaring. De kernen van sommige atomen, zoals uranium, bleken zich te kunnen splitsen. Daarbij wordt een zeer kleine hoeveelheid massa omgezet in energie, volgens Einsteins beroemde formule $E=mc^2$ (energie is massa maal lichtsnelheid in het kwadraat).

Energie wordt doorgaans gemeten in joule: 1 joule is de arbeid die nodig is om 0,1 kilo vanaf de vloer tot een hoogte van 1 meter te tillen. Een mens gebruikt zo'n 10 miljoen joule per dag om zijn lichaam aan de gang te houden. Dat is ongeveer zoveel als een gloeilamp van 120 watt die een hele dag brandt. De hoeveelheid energie in voedsel wordt vaak nog aangegeven in calorieën. Een calorie is de hoeveelheid energie die nodig is om een milliliter water 1 graad op te warmen. 1 Calorie is 4,2 joule.

Het energiegebruik is sinds de industriële revolutie enorm toegenomen. In Nederland ligt het totale energieverbruik per hoofd van de bevolking op 600 miljoen joule per dag. Dat is ruim zestig keer zoveel als nodig is om het lichaam warm te houden. In de Verenigde Staten is dat zelfs bijna 1 miljard joule per dag.

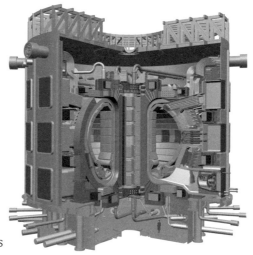

→ Een schoner alternatief voor kernsplitsing lijkt kernfusie, waarbij lichte waterstofkernen versmolten worden, hetzelfde proces dat de zon laat stralen. Vijftig jaar experimenteren heeft nog niet geleid tot een fusiereactor die netto energie oplevert. In 2006 begon een groot internationaal gezelschap echter met de bouw van een testreactor in Zuid-Frankrijk. Die moet in 2016 gereed zijn en dan in tests netto energie kunnen leveren. Een commerciële reactor is er op zijn vroegst in de tweede helft van de eeuw. Ook geen *perpetuum mobile*, maar waterstof (uit water) is er voorlopig wel genoeg.

Het grootste gedeelte van die energie is afkomstig uit de verbranding van steenkool, aardolie en aardgas. Deze fossiele brandstoffen zijn miljoenen jaren geleden gevormd uit de resten van planten en feitelijk dus een voorraad zonneenergie van lang geleden. Die fossiele bronnen zijn zeker eindig. Het einde van de voorraden komt langzaam in zicht. Oplossingen worden gezocht in energiebesparing en alternatieve energiebronnen, zoals zonnecellen, wind- of waterkrachtcentrales, aardwarmte of biomassa. Kernenergie is een andere optie.

De meeste van deze technieken zijn nog te duur en inefficiënt. De allernieuwste zonnecellen zetten bijvoorbeeld maximaal vijftien procent van de energie uit zonlicht om in elektrische energie. Om heel Nederland met zulke cellen van stroom te voorzien, zou zo'n 300 vierkante meter zonnepaneel per persoon nodig zijn. Het grootste probleem van energie uit kernsplijting is het radioactieve afval dat duizenden jaren moet worden opgeslagen.

Het in krantenstijl geschreven boek *Energierevolutie* van Jos Wassink biedt een goed overzicht van alternatieve energiemogelijkheden wanneer fossiele brandstoffen op raken. In dezelfde, milieubewuste hoek zit *Energie* van Lucas Reijnders. Boeken over fossiele brandstoffen zijn minder ruim voorhanden, maar *The battle for barrels* van Duncan Clarke, een betoog dat de olie nog lang niet op is, biedt een aardig tegenwicht.

EVOLUTIE

6

Kleine variaties
geven de meest
geschikte organismen
meer kansen en leiden
via erfelijkheid tot
nieuwe soorten

Fossiele trilobiet uit de Burgess Shale,
circa 500 miljoen jaar oud

De geschiktste leeft voort

SANDER VAN DOORN

'ZO ZIEN WE IN DAT DE MENS AFSTAMT VAN EEN HARIGE VIERVOETER, uitgerust met een staart en puntige oren.' Het zijn deze woorden van Charles Darwin die bij het grote publiek diepe indruk hebben achtergelaten.

Vreemd is dat niet. Met zijn conclusies over diens afstamming raakte Darwin aan het menselijke zelfbeeld. De evolutietheorie kijkt echter veel verder dan de menselijke soort oud is, ze legt de verbinding tussen alle organismen die op aarde leven, geleefd hebben, of nog zullen leven. Het is het verklarend principe voor alle biodiversiteit.

De inspiratie voor de evolutietheorie deed Darwin op aan boord van HMS Beagle, een Brits onderzoeksschip dat van december 1831 tot en met oktober 1835 een expeditie over het zuidelijk halfrond uitvoerde. Zijn taken: gezelschap bieden aan de kapitein en het verzamelen van planten, dieren, fossielen en gesteenten. Terug in Engeland boog Darwin zich over zijn materiaal, met verbluffend resultaat. Zo bleek hij dertien nieuwe soorten vogels verzameld te hebben, die alleen op de Galapagos-eilanden voorkomen.

Een ander verrassend inzicht ontleende hij aan zijn collectie zoogdierfossielen. Die gaf de indruk van een opeenvolgende serie op elkaar lijkende soorten, met de nu levende zoogdieren als meest recente vorm. Darwin vermoedde dat de unieke soorten op eilanden zich hadden ontwikkeld uit andere soorten op het vasteland.

→ De Nederlandse bioloog Hugo de Vries geldt als een van de wegbereiders van de moderne erfelijkheidsleer. Als hoogleraar plantkunde aan de Universiteit van Amsterdam deed hij in de decennia rond 1900 experimenten met teunisbloemen, waaruit hij opmaakte dat ergens in de plant informatie was opgeslagen die naar volgende generaties wordt doorgegeven. Hij herontdekte daarmee de resultaten van de monnik en bioloog Georg Mendel, en gaf de aanzet tot de latere ontdekking van de genen.

→ Evolutie is een steeds terugkerend thema in de vaak felle discussies over de relatie tussen natuurwetenschappelijke en religieuze kennis. Voor beide kampen spelen sterke levensbeschouwelijke emoties mee. Door sommige christelijke bewegingen gepropageerde alternatieven voor de evolutietheorie, zoals creationisme en intelligent design, worden algemeen als wetenschappelijk onbevredigend beschouwd. Het standpunt dat wetenschap en geloof elkaar niet per se uitsluiten, raakt vaak ondergesneeuwd. Toch hebben sinds Darwins tijd vele natuurwetenschappers en theologen middenposities ingenomen waarin acceptatie van wetenschappelijke verklaringen en religieuze waarden samengaan.

Spotprent van Darwin
uit 1872

Onder druk van de Britse natuuronderzoeker Alfred Russel Wallace, die afzonderlijk van Darwin tot eenzelfde inzicht was gekomen, publiceerde Darwin zijn vermoeden 22 jaar na zijn reis in *On the Origin of Species*.

De kern van Darwins theorie rustte op drie observaties. Alle soorten brengen meer nakomelingen voort dan noodzakelijk voor de instandhouding van de soort. In de praktijk bereikt elke populatie vroeg of laat een stabiele omvang. In elke stabiele populatie woedt een strijd om het bestaan die het geboorteoverschot compenseert. Binnen alle soorten bestaan kleine verschillen tussen individuen in uiterlijke kenmerken. Een deel van deze verschillen erft over van ouders op nakomelingen.

Door variatie van erfelijke eigenschappen, dacht Darwin, zijn sommige individuen beter af dan andere. Individuen met gunstige eigenschappen hebben een hogere overlevingskans en brengen meer kroost voort. Hun erfelijke eigenschappen zijn daardoor relatief sterk vertegenwoordigd in de volgende generatie. Deze natuurlijke selectie leidt tot aanpassing van individuen aan hun levensomstandigheden. En, stelde Darwin, tot het ontstaan van nieuwe soorten. Hij beschreef het ontstaan en uitsterven van soorten als het groeien van een boom: 'Zoals de takken van een boom voortkomen uit één stam, zo zijn alle levensvormen voortgekomen uit één oervorm.'

De evolutietheorie is sinds de publicatie van *On the Origin of Species* op vele manieren bevestigd. Zo is onlangs een langgezochte ontbrekende schakel tussen vissen en landdieren ontdekt. In de twintigste eeuw zijn Darwins inzichten over natuurlijke selectie gecombineerd met de moderne erfelijkheidsleer, die teruggaat op het werk van Gregor Mendel, een tijdgenoot van Darwin. Uit deze 'moderne synthese' is de hedendaagse evolutiebiologie ontstaan.

Door de moderne synthese zijn biologen soorten gaan zien als groepen organismen waartussen geen erfelijke informatie wordt uitgewisseld. Een nieuwe soort ontstaat als een deel van de individuen niet meer kruist met een ander deel. Dat gebeurt bijvoorbeeld bij langdurige ruimtelijke scheiding. Gescheiden populaties passen zich elk zo aan hun omgeving aan dat onderling kruisen op den duur niet meer gaat.

De ontdekking van het DNA als drager van erfelijk materiaal heeft een nieuwe impuls gegeven aan de evolutiebiologie. Het DNA geeft overtuigende nieuwe bewijzen voor gemeenschappelijke afstamming. Het is te lezen als een archief dat inzicht geeft in de relaties tussen soorten. Biologische variatie ontstaat door veranderingen in het DNA (mutaties) en de herschikking van erfelijke eigenschappen van de ouders in hun nakomelingen (recombinatie). De variatie in het DNA (het genotype) wordt vertaald naar uiterlijke verschillen (het fenotype). Natuurlijke selectie op fenotypische variatie leidt door de generaties heen tot veranderingen in het genotype.

Charles Darwin

De evolutietheorie wordt gebruikt en misbruikt. Ze vindt praktische toepassingen in de geneeskunde en het natuurbeheer. Ingenieurs gebruiken computermodellen van selectie- en mutatieprocessen om oplossingen te vinden voor lastige problemen. In de gedaante van de evolutionaire speltheorie is evolutie zelfs doorgedrongen tot de sociale wetenschappen en de ethiek. Maar in de nazistische rassenleer en gedwongen sterilisatieprogramma's zijn Darwins ideeën ook misbruikt als verantwoording voor het recht van de sterkste.

Hoe dan ook, Darwin heeft het menselijke wereldbeeld diep geraakt. Misschien voelt niet iedereen zich helemaal gemakkelijk bij de gedachte aan zijn familierelatie met de hamster of de begonia in de vensterbank. Toch was Darwins kijk op de natuur niet zonder grandeur: 'Eindeloze vormen, in al hun wonderlijke schoonheid, zijn geëvolueerd, en zullen dat blijven doen.'

Het werk van Charles Darwin is nog altijd volop verkrijgbaar, ook in vertaling, en zelfs online. Goede moderne inleidingen in de evolutie zijn te vinden van onder meer de hand van Richard Dawkins. Bas Haring schreef er voor kinderen over in *Kaas en de evolutietheorie*. Museum Naturalis in Leiden toont in zijn permanente tentoonsteling 'Parade van het Leven' de evolutie van dieren en planten op aarde. Een bekroond populair-wetenschappelijk boek over Alfred Russell Wallace is *The Song of the Dodo*.

ALGORITMEN

Of het nu met pen en
papier en veel tijd moet,
of met een computer:
rekenen vereist altijd een
precies stappenplan

Blue Gene supercomputer

Recepten om op te rekenen

IONICA SMEets

→ Computerprogramma's zijn hele grote, ingewikkelde algoritmen. Om te voorkomen dat het een rommeltje wordt, bestaan er allerlei 'spelregels' die bepalen hoe een fatsoenlijk programma eruit moet zien. Een van de bekendste spelregelmakers is de Nederlander Edsger Dijkstra, die in de tweede helft van de twintigste eeuw 1300 artikelen over informatica schreef. Zijn belangrijkste boodschap is dat een algoritme maar één ingang mag hebben en één uitgang. Een recept mag niet zo in elkaar zitten dat je er halverwege mee kunt stoppen.

HOE VINDT GOOGLE ZO SNEL DE GOEDE INTERNETPAGINA'S? Hoe sorteer je een lijst namen zo snel mogelijk op alfabet? Hoe vind je alle priemgetallen kleiner dan een bepaald getal? Het antwoord op deze drie vragen is hetzelfde: met een algoritme. Een algoritme is een recept om een probleem stap voor stap op te lossen.

Iedereen gebruikt regelmatig algoritmen, bijvoorbeeld om te controleren of de rekening in een restaurant klopt. Het optellen van een reeks getallen is een eenvoudig algoritme. Een stuk lastiger is het om met pen en papier uit te rekenen dat de wortel van 5 ongeveer 2,236 is. Bijna vierduizend jaar geleden kenden de Babyloniërs al methoden om zulke wortels te berekenen. Ook de Grieken ontwikkelden rond 200 voor Christus diverse algoritmen.

Een mooi voorbeeld is de Zeef van Eratosthenes voor het vinden van priemgetallen (getallen die alleen deelbaar zijn door 1 en zichzelf). Om alle priemgetallen kleiner dan een getal, 1729 bijvoorbeeld, te vinden zijn vier stappen nodig:

1. Maak een lijst van alle gehele getallen tussen 2 en 1729.

2. Omcirkel 2 en streep alle veelvouden van 2 door: 4, 6, 8, et cetera, tot 1728.

3. Zoek het eerste getal op de lijst dat niet omcirkeld of doorgestreept is. Stop als zo'n getal niet aanwezig is.

4. Omcirkel het getal van stap 3 en streep alle veelvouden van dit getal op de lijst door. Ga daarna terug naar stap 3.

De Mare Nostrum super-
computer in Barcelona

Het algoritme stopt als alle getallen of omcirkeld zijn of doorgestreept. De omcirkelde getallen zijn precies alle priemgetallen kleiner dan 1729. Dit voorbeeld laat goed zien dat je helemaal niet hoeft te begrijpen wat je doet. Als je simpelweg de stappen volgt, komt het goede antwoord er vanzelf uit.

Het is vervelend om een algoritme helemaal met pen en papier uit te werken. Computers zijn er juist erg goed in. De opkomst van de computer leidde dan ook tot een explosie in het gebruik van algoritmen. Het grappige is dat het nadenken over algoritmen mede tot onze huidige computers leidde.

Buitengewoon belangrijk waren de ideeën van één man: Alan Turing. Deze Engelse wiskundige raakte na zijn promotie in Cambridge op 23-jarige leeftijd geïnteresseerd in logica. Om de grenzen van de logica te onderzoeken, bedacht hij in 1936 een computer die alleen in zijn hoofd bestond, de Turing-machine.

Het denkbeeldige apparaat bestaat uit een tape met symbolen erop die onder een lees/schrijfkop ligt. Die kop weet wat hij moet doen als hij een bepaald symbool te lezen krijgt: iets schrijven en dan de tape een plek opschuiven. De tape bevat tegelijkertijd het programma en de data van de Turing-machine, net zoals een harde schijf zowel de tekstverwerker als de tekst bevat.

Algoritmen op de Turing-machine leiden alleen tot een resultaat als ze aan bepaalde eisen voldoen. Het algoritme moet bestaan uit een eindig aantal precieze instructies en het moet stoppen na een eindig aantal stappen. Verder moet het algoritme in principe door een persoon met pen, papier en een heleboel tijd uitgevoerd kunnen worden, zonder dat hij begrijpt wat hij doet.

Hedendaagse computerprogramma's voldoen ook aan deze eisen. Turing bewees dat elke computer die op deze manier werkt, precies hetzelfde kan, als hij maar genoeg tijd en geheugen heeft. Een gloednieuwe computer met een supersnelle processor kan in principe niet meer problemen oplossen dan een kamergrote computer uit de jaren vijftig.

→ Het woord algoritme is een verbastering van Mohammed Al-Chwarizmi, een Arabische wiskundige die in de negende eeuw een boek schreef over Indische getallen. Bij het vertalen van zijn werk naar het Latijn werd Al-Chwarizmi verwesterd tot Algoritmus. De titel van het boek was *Hisab al-jabr wal-moeqabala*, hetgeen in het Latijn verbasterd werd tot 'algebra'.

Turing vroeg zich af of er vragen waren die zo'n machine niet kan beantwoorden. Als je een algoritme domweg laat draaien en het stopt na een tijdje, dan weet je het antwoord. Maar als het algoritme niet stopt, weet je nooit zeker of het over drie minuten of drie dagen of drie jaar niet alsnog zal stoppen. Turing liet zien dat er algoritmen bestaan waarvoor je met geen enkele slimme truc kunt bepalen of ze ooit stoppen.

Turing maakte de opkomst van de computers trouwens niet meer mee. Hij overleed in 1954 aan een cyanidevergiftiging met een half opgegeten appel naast zijn bed. Zijn moeder geloofde dat het een ongeluk was, de rest van de wereld gokte op zelfmoord. Zijn leven was zwaar ontregeld nadat een rechter hem bevolen had hormonen te slikken om hem van zijn homoseksualiteit te 'genezen'.

Alan Turing

Er zijn veel algoritmen waarvan vaststaat dat ze stoppen. Maar een algoritme moet ook efficiënt zijn: de rekentijd mag niet belachelijk lang zijn. En dat is voor veel problemen die heel eenvoudig lijken, niet het geval. Berucht is het handelsreizigersprobleem. Een handelsreiziger moet naar verschillende steden. Tijd en benzine kosten geld, daarom wil hij weten wat de kortste route langs alle steden is.

Soortgelijke problemen komen op heel veel plaatsen voor: een bezorger van *de Volkskrant* zoekt de kortste route langs al zijn bezorgadressen en fabrikanten van printplaten voor computers zoeken de snelste manier om duizenden gaten op de juiste plek te boren.

Het is niet moeilijk een algoritme te geven dat in een eindig aantal stappen de kortste route vindt: probeer ze gewoon allemaal. Maar voor tien steden zijn er al 181.440 mogelijke routes. Bij de gaten in de printplaat heeft de computer al eeuwen nodig om de kortste route te vinden. Tegen de tijd dat het probleem is opgelost, heeft niemand de printplaat meer nodig. Voor dit soort problemen zijn wetenschappers voortdurend op zoek naar nieuwe algoritmen.

Er zijn verschillende biografieën van Alan Turing beschikbaar, waarvan die door Andrew Hodges het bekendst is. Hodges schreef ook het scenario van de film *Breaking the Code* over Turings leven. De Turing Award, jaarlijks uitgereikt door de Association for Computing Machinery, geldt als de Nobelprijs voor de informatica.

GEHEUGEN

8

Elke hersencel in het brein heeft contact met duizenden andere en in de sterkte van de verbindingen zit het geheugen

Hersencel van een muizenembryo

Een netwerk om te onthouden

HUIB MANSVELDER

→ Een populair misverstand is dat de mens slechts 10% van zijn hersenen gebruikt. Dat is niet waar. Alle delen van de hersenen hebben een functie, al worden ze niet allemaal even goed begrepen. Wel is maximaal 10% van het brein tegelijkertijd actief. Als meer dan tien procent van de neuronen op hetzelfde moment actief is, raakt het brein helemaal in de war. Dat heet dan een aanval van epilepsie.

WIE WEL EENS IN EEN RESTAURANT KALFSHERSENEN HEEFT besteld, weet dat die eruit zien als een grijze pudding. Het is echter wel een pudding met een stevige structuur, opgebouwd uit ongeveer honderd miljard cellen, neuronen, die al het werk doen. Ze vormen een gigantisch netwerk waarin ieder neuron met duizend tot tienduizend andere hersencellen in contact staat. In dat netwerk liggen alle herinneringen opgeslagen. Bij wie dit stuk uitleest, zijn de moleculen in het brein en misschien de hersencellen zelf veranderd.

Door de ontwikkeling van sterk vergrotende microscopen en de uitvinding van een kleuringsmethode om hersencellen zichtbaar te maken, zijn de neuronen sinds de tweede helft van de negentiende eeuw te zien. Ze bestaan uit een cellichaam met vele uitlopers, als tentakels uit het lichaam van een inktvis. Iedere hersencel heeft twee soorten uitlopers, de ene ontvangt signalen van andere cellen, de andere soort zendt juist informatie uit.

De neuronen communiceren met elektrische en chemische signalen. Ze praten voortdurend met elkaar, of hun eigenaar nu slaapt of wakker is. In de antennes van de hersencel worden chemische boodschappen van andere hersencellen omgezet in elektrische signalen. Elektriciteit is snel. Een wedstrijdje tennis zou onmogelijk zijn als hersencellen niet met elektriciteit zouden werken. De uitlopers van hersencellen die armen en benen laten bewegen, zijn heel lang. Om snel genoeg in beweging te komen om op tijd de bal terug te slaan, zijn de elektrische impulsen hard nodig.

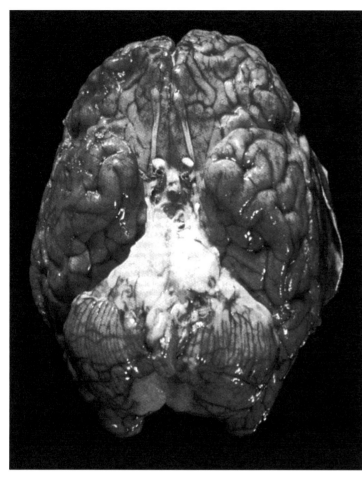

Hersenen van een
patiënt die is overleden
aan meningitis, hersen-
vliesontsteking

Niet alle hersencellen zijn hetzelfde. Zij hebben zich allemaal gespecialiseerd, zodat het brein verschillende dingen kan, zoals lezen en tennissen. Gespecialiseerde zenuwcellen in de ogen vangen het licht van deze letters op. Andere hebben zich toegelegd op de smaak van koffie, of het aansturen van de spieren om het kopje te pakken. Van het merendeel van de hersencellen is nog niet bekend waarin ze gespecialiseerd zijn.

De specialisatie is gebaseerd op eiwitten, grote moleculen die bepaalde chemische reacties kunnen uitvoeren. Zo is het lichtgevoelige eiwit rhodopsine ervoor verantwoordelijk dat mensen kunnen zien. Aan het eindpunt van de zenuwcellen in het netvlies zet rhodopsine licht om in elektrische signalen, die door de hersenen verwerkt worden.

Ook gehoor, smaak, reuk en gevoel worden bepaald door eiwitten in de zenuwcellen. Capsaïcine, bijvoorbeeld, de stof die ervoor zorgt dat pepers 'heet' zijn, bindt zich aan eiwitten in de mond om die sensatie te veroorzaken. Zonder die 'peper-eiwitten' zouden chilipepers een fris tussendoortje zijn.

Veel dieren maken gebruik van andere eiwitten dan mensen en ervaren de wereld op een totaal verschillende manier. Mensen zijn doof voor de hoge tonen die honden horen, en ongevoelig voor het ultraviolette licht dat bijen zien. Het is nog moeilijker voor te stellen hoe een vleermuis zijn omgeving ervaart uit de weerkaatsing van geluid dat hij zelf voortbrengt. Of hoe vissen die de elektrische dichtheid van voorwerpen verkennen met stroomstootjes, de wereld 'zien'. Hun elektrisch orgaan heeft eiwitten die elektrische velden waarnemen. Mensen bedenken vaak apparaten om voor hen onzichtbare signalen te vertalen naar signalen waarvoor hun zintuigen wel de juiste eiwitten bezitten, bijvoorbeeld een nachtkijker om infrarood licht waarneembaar te maken.

Niet alleen de waarneming wordt bepaald door eiwitten. Eiwitten slaan ook herinneringen op. Of het nu het gezicht van een nieuwe collega is, een pianostuk of de geur van appeltaart, hersencellen hebben de benodigde informatie in de contactpunten opgeslagen. Wanneer een herinnering wordt vastgelegd, veranderen de contactpunten tussen hersencellen in sterkte. Boodschappen van andere hersencellen worden zo luider of zwakker ontvangen. Niet van allemaal tegelijk, maar voor ieder contactpunt wordt het volume apart bijgesteld.

Als bij muizen door genetische modificatie het volume-eiwit uit de antennes wordt weggehaald, zijn ze hun geheugen kwijt. Door de werking van dezelfde eiwitten te versterken, kunnen ze juist beter leren. Bij verstandelijk gehandicapten ontwikkelen de contactpunten tussen hersencellen zich niet goed. Het is voor hen daardoor moeilijker iets te onthouden.

Omdat het aantal contactpunten tussen de honderd miljard hersencellen onvoorstelbaar groot is, is de opslagcapaciteit van het brein enorm. Door het volume van contactpunten bij te stellen, worden herinneringen structureel vastgelegd in de verbindingen tussen hersencellen. Soms een heel leven lang. Maar vaak sterven de hersencellen en hun contactpunten eerder af bij het ouder worden. Dan verdwijnen ook de herinneringen die in de contactpunten geschreven waren. Ook dit stuk loopt dat risico.

→ Het Cornelia de Langesyndroom, genoemd naar de Amsterdamse arts die het in 1933 voor het eerst beschreef, is een erfelijke aandoening die leidt tot bepaalde gezichtskenmerken (zoals een opgewipte neus) en verstandelijke beperkingen, soms zeer ernstig. Eén gen is verantwoordelijk voor zowel de uiterlijke als de verstandelijke beperkingen – een aanwijzing hoezeer de ontwikkeling van de hersenen verknoopt is met de rest van het lichaam. In Nederland gaat het om ongeveer vijf kinderen per jaar.

Over het geheugen en het brein in het algemeen zijn talloze boeken geschreven, ook in het Nederlandse taalgebied. Recente verschenen ondermeer *Het maakbare brein* van Margriet Sitskoorn (Bert Bakker), *Ben ik dat?* van Mark Mieras (Nieuw Amsterdam) en *Het slimme onbewuste* van psycholoog Ab Dijksterhuis (Bert Bakker). Romanschrijver J. Bernlef (Bezige Bij) schreef met *Hersenschimmen* een aangrijpende klassieker over leven met de ziekte van Altzheimer. Stella Braam doet in *Ik heb Altzheimer* (Nijgh&Vanditmar) verslag van de ziekte van haar vader.

ATOOMBOM

Een atoombom maakt uit een paar gram materie pure energie los, met verwoestende gevolgen

Atoombomtest in de woestijn van Nevada in 1951

Doden met één gram uranium

TOBIAS TIECKE

→ Nadat vijf jaar eerder al een eind gemaakt was aan bovengrondse kernproeven, trad in 1968 het non-proliferatieverdrag in werking, waarvan de ondertekenaars beloofden geen kernwapens te zullen ontwikkelen, behalve de vijf permanente leden van de Veiligheidsraad van de Verenigde Naties. Vier niet-ondertekenaars bezitten ook kernwapens: India, Pakistan, Israël en Noord-Korea. Daarnaast is er een hele reeks landen, waaronder Nederland, die de kennis en faciliteiten hebben om atoombommen te maken, maar dat niet doen.

O P 6 AUGUSTUS 1945 LIET EEN BOMMENWERPER BOVEN HIROSHIMA een kernbom ter grootte van een lijkkist vallen. De explosie verwoestte de hele stad in een paar seconden. Bijna 80.000 mensen waren op slag dood. In de tientallen jaren erna overleden nog eens 60.000 personen aan de radioactieve straling die de bom ten gevolg had. De wereld reageerde verbijsterd, niemand wist van het bestaan van zo'n allesvernietigend wapen. Minder bekend is de oorzaak van de enorme explosie: minder dan 1 gram massa werd in energie omgezet.

Dat zo weinig zo verwoestend kan zijn, wordt verklaard met de bekende formule van Einstein, $E=mc^2$. De formule is zo bekend dat hij praktisch een cultstatus heeft gekregen. De betekenis is dan ook zeer opvallend. In woorden stelt de formule dat energie gelijk is aan massa maal de lichtsnelheid in het kwadraat. Massa en energie zijn dus eigenlijk hetzelfde. Omdat de lichtsnelheid heel groot is (300.000 kilometer per seconde) staat 1 gram al gelijk aan de hoeveelheid energie die vrijkomt bij een explosie van 21,5 miljoen kilogram TNT. De bom op Hiroshima had een kracht van 15 miljoen kilogram TNT.

Er zijn twee manieren bekend waarop massa in energie omgezet kan worden: kernfusie en kernsplijting. Kernfusie is het proces waardoor de zon licht geeft. Twee lichtere atoomkernen smelten samen en vormen één nieuw atoom, dat net iets lichter is dan de twee voorgangers samen. De rest van de massa wordt in energie omgezet. Bij kernsplijting gebeurt het tegenovergestelde, een zware atoomkern

Een slachtoffer van de atoombom op Hiroshima. Het patroon van haar kimono is in haar huid gebrand

wordt gespleten in twee lichtere. Bij elkaar opgeteld zijn die kernen minder zwaar dan het eerste atoom. Weer is er dus massa verdwenen en energie bijgekomen. Splijten is het proces waarop de atoombom van Hiroshima gebaseerd was.

Een kernbom wordt op een doodsimpele manier tot ontploffing gebracht. Als een stuk uranium een bepaalde 'kritische' massa bereikt, vindt er namelijk een kettingreactie plaats. Het splijten van de eerste kern veroorzaakt dan gemiddeld meer dan één nieuwe splijting waardoor het radioactief verval zichzelf zeer snel versterkt. Er komt binnen korte tijd heel veel energie vrij.

Voor een bol van speciaal, extra licht uranium bedraagt de kritische massa 50 kilo. Boven Hiroshima werden op de bewuste dag twee stukken uranium van 26 en 38 kilo heel hard tegen elkaar aan gedrukt met hulp van gewone explosieven. Een minieme fractie van het uranium werd uiteindelijk pure, vernietigende energie.

Het idee dat massa in energie kan worden omgezet, was natuurlijk sinds de publicatie in 1905 van Einsteins formule bekend. Maar zelfs de grote geleerde zelf zag massa niet als een energiebron. Men dacht dat het meer energie zou kosten om een kern te splijten dan het op zou leveren.

Pas in 1939 opperde onder meer Leo Szilard het principe van de kettingreactie. De Joods-Hongaarse natuurkundige was voor de Duitsers naar de VS gevlucht. Hij wist dat de fysici daar ontdekt hadden dat uranium zich splitste in lichtere kernen als er neutronen (deeltjes waaruit atoomkernen onder andere zijn opgebouwd) op werden geschoten. Szilard was doodsbang dat het de nazi's zou lukken dit principe in een bom te gebruiken.

Samen met Einstein, die eveneens voor de nazi's gevlucht was, schreef hij een brief naar de president van de Verenigde Staten, Franklin D. Roosevelt. Zij informeerden de president over het mogelijke gevaar en vroegen om financiële steun voor onderzoek om de Duitsers voor te zijn.

Roosevelt trok, na enig aarzelen, twee miljard dollar (vergelijkbaar met twintig miljard dollar nu) uit voor de grootste wetenschappelijke onderneming tot dan toe, het Manhattan-project. Zo'n 130.000 mensen werkten mee, onder wie 21 Nobelprijswinnaars. Na de capitulatie bleken de Duitsers nooit dicht bij een operationele kernbom geweest te zijn.

Maar vier jaar na de Tweede Wereldoorlog beschikten de Russen wél over een kernbom. Dat feit zorgde voor een wapenwedloop van onverwachte omvang. In totaal zijn er nu 30.000 kernbommen op de wereld, 28.000 in het bezit van Amerika en Rusland samen.

De verwoestende kracht van de bommen werd ook steeds groter. In 1961 explodeerde op Nova Zembla de grootste kernbom ooit. De Russische Tsar Bomba was ruim 3500 keer sterker dan de bom op Hiroshima en veroorzaakte schade in een straal van honderden kilometers.

Op de verwoestende kracht was gerekend, maar niemand had de problemen voorzien als gevolg van de fall-out, de radioactieve stofwolken die vrijkomen bij een kernexplosie. Het was bekend dat radioactiviteit menselijk weefsel beschadigt. Maar als gevolg van de twee kernbommen op Japan en de vele kernproeven die volgden, werd pas echt duidelijk hoe gevaarlijk radioactieve straling kan zijn. Nog steeds is de bevolking in Hiroshima verminderd vruchtbaar. Overigens wordt het beschadigende karakter van straling ook op een positieve manier gebruikt bij de bestrijding van kanker.

De kernbom is een katalysator geweest voor de maatschappelijke betrokkenheid van wetenschappers. Zo klom Einstein, zestien jaar na zijn beroemde brief aan Roosevelt, opnieuw in de pen. Samen met Bertrand Russell, Nobelprijswinnaar voor de literatuur, schreef hij een manifest tegen het gebruik van kernwapens. Het manifest werd gevolgd door de oprichting van de jaarlijkse Pugwash-conferentie, waar wetenschappers oplossingen zoeken voor gewapende conflicten. Deze conferentie kreeg in 1995 de Nobelprijs voor de Vrede.

In een van de indrukwekkendste boeken over de atoombom, staat nauwelijks tekst: *100 suns* van Michael Light bevat postergrote foto's van Amerikaanse kernproeven. Over het Manhattan-project schreef Richard Rodes een gezaghebbende geschiedenis *The Making Of The Atomic Bomb*. In *Dark Sun* beschreef hij eerder de ontwikkeling van de nog veel krachtiger waterstofbom.

→ Een van de mensen die onmiddellijk beseften welke mogelijkheden een nucleaire kettingreactie bood, was de Leidse hoogleraar Wander de Haas. Nog in 1939 bestelde hij 200 houten vaatjes uraniumerts, die de oorlog in de vochtige kelders van het Delftse scheikundegebouw doorbrachten. De nazi's vonden de begerenswaardige vaatjes niet, zodat Nederland na 1945 een vliegende start kon maken in het nucleaire onderzoek.

Vaatje Yellow cake (uraniumoxide), in 1939 door de Belgische firma Union Miniere aan de Leidse hoogleraar Wander de Haas geleverd

COGNITIE

10

Denken en doen gaan
samen in het brein, het
enige orgaan waarvan zeker
is dat het weet van zijn
eigen bestaan

Sensoren kunnen actieve delen van
het brein in kaart brengen tijdens
het verrichten van taken

Het hoofd dat de geest geeft

JASPER POORT, PIETER ROELFSEMA

→ Nederlands bekendste psycholoog is Piet Vroon, die overleed in 1998. In zijn bekendste boeken, *Tranen van de krokodil* en *Wolfsklem*, traceerde hij de ontwikkeling van de menselijke hersenen en het menselijke gedrag. Aan de hand van oude Griekse en joodse literatuur liet hij bijvoorbeeld zien dat mensen nog geen 2500 jaar geleden een heel ander zelfbewustzijn hadden dan nu.

PHINEAS GAGE WERKTE ALS VOORMAN BIJ DE AANLEG VAN EEN spoorlijn door de Amerikaanse staat Vermont. Om het terrein te effenen, verwijderde hij stukken rots met behulp van buskruit. Hij boorde gaten waar hij het buskruit in stopte. Vervolgens gooide hij er zand in en stampte het goed aan met een ijzeren staaf. Ten slotte bracht hij het geheel met een lont tot ontsteking.

Op een kwade dag in 1848 vergat Gage het zand. Toen hij de staaf op het buskruit liet neerkomen, ontsprong er een vonk, en de zaak explodeerde. De staaf, 1 meter lang en 3 centimeter dik, werd uit zijn handen gerukt en vloog dwars door zijn schedel en het voorste deel van zijn hersenen heen. Dertig meter verderop kwam het ding weer neer.

Tot verbijstering van de spoorwerkers was Gage niet dood. Hij was zelfs niet bewusteloos. Hij zat binnen een paar minuten weer rechtop. Korte tijd later zei hij tegen de behandelend arts: 'Dokter, dit zaakje zal u wel even bezighouden.'

Op het eerste gezicht leek het enorme gat geen enkel gevolg te hebben. Maar al snel bleek dat er met het stukje hersenen ook een stuk van zijn persoonlijkheid was weggeslagen. Vóór het ongeluk was Gage een hardwerkende, voorbeeldige voorman die zijn zaken goed voor elkaar had. Nu was hij ongeduldig en egoïstisch, en hij barstte vaak in woede uit. Hij volgde geen vooropgezet plan meer in zijn leven en rende voortdurend achter wilde ideeën aan, om ze even snel weer te verlaten.

Het ongeval met de staaf is beroemd in de neurowetenschappen, omdat het

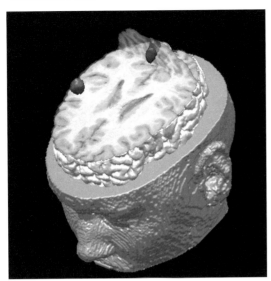

Het rode deel van de hersenen van een jonge moeder wordt actief bij het zien van haar eigen baby, het blauwe bij het zien van andermans kind

ontegenzeggelijk lijkt aan te tonen dat iets abstracts als persoonlijkheid in een bepaald deel van de hersenen huist. Cognitie is de verzamelterm voor de functies die mensen in staat stellen tot intelligent gedrag, zoals waarneming, denken, taal en geheugen. Persoonlijkheid en bewustzijn horen daar ook bij. Al deze functies hebben met het verwerken van informatie te maken.

Een speciale vorm van cognitie is zelfbewustzijn: weten welk individu je bent. Slechts bij enkele diersoorten is een vorm van zelfbewustzijn aangetoond. En alleen van de mens staat vast dat hij zich kan afvragen hoe het mogelijk is dat hij denkt.

Om te onderzoeken hoe de verschillende delen van de hersenen werken, waren wetenschappers in het verleden vooral afhankelijk van ongelukken, zoals bij Phineas Gage. Bij beschadiging van een beperkt deel van de hersenen vallen bepaalde functies uit, terwijl andere gespaard blijven. Hersenwetenschappers van weleer wreven zich dan ook in de handen als er een oorlog uitbrak. De vele hoofdschotwonden en de bijbehorende stoornissen leverden prachtig studiemateriaal op.

Tegenwoordig beschikt de wetenschap over meer geavanceerde methoden om het brein in actie te zien. Terwijl proefpersonen verschillende cognitieve taken uitvoeren, wordt de hersenactiviteit, in de vorm van de doorbloeding van de hersenen of elektromagnetische activiteit, gemeten. De bekendste onderzoeksmethode is waarschijnlijk fMRI, waarbij aan de doorbloeding van de hersenen te zien is welke hersengebieden actief zijn. Het is bijvoorbeeld mogelijk de hersenactiviteit te meten van mensen die een lijst woorden uit hun hoofd leren. Je kunt dan al zien welke woorden de proefpersoon zal onthouden en welke niet.

De kracht van het brein is dat het goed kan leren en dat het zich aanpast als bepaalde vaardigheden veel gevraagd worden. Londense taxichauffeurs, bijvoorbeeld, hebben een vergroot gebied dat zich met ruimtelijke oriëntatie en plaatsbepaling bezighoudt. Het is nu ook mogelijk de activiteit van afzonderlijke hersencellen te meten, al moet dan wel iemands schedel worden gelicht. Met deze methode is veel onderzoek gedaan naar het gebied in de hersenen dat gezichten herkent.

In een recent onderzoek kregen mensen foto's van bekende en onbekende gezichten te zien, terwijl de activiteit van hersencellen gemeten werd. De onderzoekers stuitten, tot hun verrassing, op een hersencel met een voorliefde voor Jennifer Aniston. Als ze foto's van de filmster lieten zien, werd de zenuwcel zeer actief terwijl foto's van Julia Roberts de cel onbewogen lieten. Inmiddels is er ook al eens een Bill Clinton-cel gevonden.

De relatie tussen hersenen en cognitie wordt steeds beter begrepen. Het zal daarom in de toekomst ook mogelijk worden invloed op de hersenen uit te oefenen. Daar zijn de eerste voorbeelden al van bekend. Zo zijn er binnenoorprothesen waardoor mensen met een gehoorbeschadiging weer kunnen horen. Een microfoon vangt de geluiden op. Die worden daarna via een elektronisch signaal overgebracht op zenuwcellen in het binnenoor, waar de hoorsensatie ontstaat.

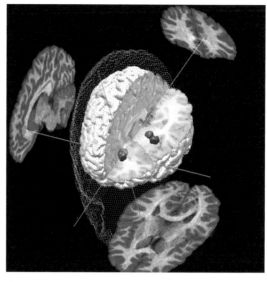

Het is ook mogelijk informatie uit de hersenen te gebruiken om iets aan te sturen. Er zijn kunstarmen die direct vanuit de hersenen bestuurd kunnen worden. De gemeten hersenactiviteit wordt dan door een computer omgezet in een beweging van de prothese. De bionische mens wordt langzaam werkelijkheid in plaats van science fiction.

Antidepressiva leiden tot verandering van de activiteit in specifieke delen van de hersenen

Dé klassieker over cognitieonderzoek is *De man die zijn vrouw voor een hoed hield* van Oliver Sacks, met in het titelverhaal een man die door een hersenbeschadiging werkelijk niet meer in staat was het verschil te zien tussen zijn vrouw en een hoed, hoewel hij verder helemaal in orde was. Kunstenaars maken graag gebruik van een techniek om de menselijke cognitie voor de gek te houden, trompe-l'oeil. Ook eenvoudig perspectief tekenen is een manier om de hersenen iets te laten waarnemen dat er niet is: diepte. Sociaal-psycholoog Ab Dijksterhuis beschrijft in *Het slimme onbewuste* (Bert Bakker) de aanzienlijke rol van het ondergewustzijn bij ons functioneren.

KWANTUM 1

Op het diepste niveau
beheerst toeval de werke-
lijkheid, zo is bekend sinds
de ontdekking dat licht
en materie tegelijk golf én
deeltje zijn

Weergave van een atomair landschap

Een optelsom van onzekerheden

FONGER YPMA

→ Een van de opvallendste Nederlandse kwantumpioniers was Hugo Martin Tetrode. In 1912, toen hij zeventien jaar oud was, publiceerde hij zijn eerste artikel in de gerenommeerde *Annalen der Physik*. Tien jaar later volgde een artikel over kwantummechanica dat diepe indruk maakte op groten als Einstein, Ehrenfest en Pauli. De mensenschuwe en ziekelijke Tetrode overleed in 1931.

MEER DAN TWEEDUIZEND JAAR GELEDEN KWAM DE GRIEKSE wijsgeer Democritus op theoretische gronden tot de conclusie dat de wereld opgebouwd was uit ondeelbare deeltjes die hij atomen noemde. Het zou echter tot de negentiende eeuw duren voor natuurkundigen meetmethoden ontwikkelden om enig inzicht te krijgen in wat die atomen nou waren. De atomen zijn zo klein, dat de verhouding tussen een atoom en een voetbal ruwweg hetzelfde is als de verhouding tussen die voetbal en de aardbol.

Het inzicht was er nog maar net, of atomen bleken niet ondeelbaar te zijn. Dat begon bij de Britse natuurkundige Ernest Rutherford. Medewerkers van hem deden in 1909 een experiment waarin zij een dun laagje goudfolie beschoten met zogenoemde alfadeeltjes. Het bleek dat de meeste deeltjes gewoon door het goudlaagje heen vlogen, maar dat één per achtduizend keihard terugkaatste.

Rutherford concludeerde dat het goud grotendeels leeg moest zijn en uit atomen met een massieve kern bestaan. Later bleek die kern uit een kluitje positief geladen protonen en ongeladen neutronen te bestaan. Daaromheen moesten 'schillen' van negatief geladen elektronen liggen. Rutherfords atoommodel leek op een zonnestelsel. Maar dat beeld kon niet kloppen. Volgens de wetten van de klassieke natuurkunde zouden de rondcirkelende elektronen namelijk energie verliezen door straling uit te zenden. Geleidelijk zouden ze in een spiraal richting de kern bewegen, zodat de boel in elkaar zou storten. Maar in de praktijk gebeurde dat niet.

Albert Einstein en
Niels Bohr

De Deense natuurkundige Niels Bohr vond in 1913 een oplossing voor dit raadsel, door aan te nemen dat elektronen alleen in bepaalde banen rondom de kern kunnen cirkelen. Net als een trein, die gebonden is aan zijn spoor, kan een elektron zich niet overal rond de atoomkern bevinden. De elektronen kunnen wel van baan verspringen door pakketjes ofwel 'kwanta' energie op te nemen of uit te zenden.

Al in 1905 had Albert Einstein ontdekt dat licht, dat zich gedraagt als golven, ook uit deeltjes bestaat, fotonen genoemd. Deze fotonen blijken precies verantwoordelijk voor de energie-overdracht tussen elektronen. Alleen fotonen van een bepaalde frequentie, of kleur, kunnen volgens Bohr een elektron in een atoom naar een andere baan brengen. Als het elektron terugvalt naar zijn oude baan, straalt het weer een foton met dezelfde kleur uit.

De Franse natuurkundige Louis-Victor de Broglie ging in 1924 nog een stapje verder door te stellen dat ook elektronen deeltjes zijn met een golfkarakter. Dat sloot perfect aan bij Einsteins theorie over licht. Bovendien verklaarde het waarom in een atoom alleen bepaalde elektronenbanen rondom de kern zijn toegestaan: in die banen is de omtrek van de baan precies een geheel aantal golflengtes van zo'n elektron.

Dat elektronen zowel deeltjes zijn als golven heeft een vreemde implicatie: zij kunnen zich op meerdere plekken tegelijkertijd bevinden. Hooguit is met de zogeheten Schrödinger-vergelijking te berekenen waar je het deeltje het meest waar-schijnlijk zult aantreffen. Deze kwantumwereld lijkt in bijna niets op de werkelijk-heid van het dagelijkse leven. Hij is fundamenteel onzeker en niet voorspelbaar. Maar hoe vreemd en ingewikkeld de theorie ook is, zij blijkt de wereld perfect te beschrijven.

Voor natuurkundigen van de oude stempel, zoals Einstein, was het onaanvaard-baar dat het fundament van de natuurkunde op de onzekerheden van kansbereke-ning gebouwd zou worden. 'God dobbelt niet', schreef hij in een brief aan een collega.

Met paradoxen en gedachte-experimenten probeerde hij Bohr en andere collega's ervan te overtuigen dat er meer moet zijn dan kwantummechanica. De meeste hedendaagse natuurkundigen houden het echter op Bohrs 'Kopenhagen-interpretatie' van de kwantummechanica: de kansen zijn er perfect mee te berekenen, de uitkomsten van afzonderlijke metingen niet.

Op de schaal van het menselijk leven is het netto effect van alle kwantumonzekerheidjes verwaarloosbaar. De optelsom van talloze onzekerheden blijkt goed voorspelbaar. Ondanks haar fundamentele onzekerheid kent de kwantummechanica veel praktische toepassingen.

Zonder de ontdekking van de kwantumeigenschappen van licht zou bijvoorbeeld de ontwikkeling van lasers, en daarmee een belangrijk deel van de digitale revolutie, van cd-spelers tot glasvezelkabels, niet mogelijk zijn geweest. In lasers worden elektronen in atomen gestimuleerd om massaal van de ene baan naar de andere te springen, onder het uitzenden van één kleur licht die weer nieuwe elektronen laat springen. In digitale camera's en zonnecellen zitten chips die de kwantumeigenschappen van licht gebruiken.

Een nieuwe toepassing die aan de horizon gloort, is de kwantumcomputer. Gewone computers slaan informatie op in 'bits', die de waarde 0 of 1 kunnen hebben. Kwantumcomputers gebruiken daarentegen 'qubits', die meerdere waarden tegelijkertijd kunnen aannemen. Daardoor is het mogelijk meerdere sommen tegelijkertijd uit te rekenen, die een gewone computer om de beurt moet doen.

Als het lukt een systeem te maken dat zich als een nette kwantumcomputer gedraagt, zou het rekenprocessen enorm kunnen versnellen. Dat zou een nieuwe digitale revolutie inluiden.

John Gribbin schreef met *In Search of Schrödingers Cat* en *Schrödingers Kittens* twee toegankelijke inleidingen in de kwantumtheorie. Ook David Lindley's *Uncertainty* is de moeite waard, evenals *Quantum Theory Cannot Hurt You* van Marcus Chown. Correct én hilarisch is het getekende *Quantum theory for beginners* van J.P. McEvoy. In *Einsteins Sleier* (Duits) doet kwantumpionier Anton Zeilinger zelf zijn verhaal.

→ De beroemdste paradox van de kwantummechanica is het gedachtenexperiment dat bekend staat als Schrödingers kat. Een kat wordt opgesloten in een doos, met een flesje gifgas dat open gaat als een enkel radioactief atoom zich splitst. Zolang je de doos niet open maakt (een meting verricht), schrijft de kwantummechanica voor dat de kat zowel dood als levend is. Een 'normale' interpretatie zou zijn dat de kat óf dood is óf leeft, maar dat je het nog niet weet. De kwantummechanica, echter, stelt dat de kat dood én levend is zolang de doos dicht is.

FOTOSYNTHESE

12

Planten ademen
kooldioxide in en zuurstof uit
dankzij bladgroenkorrels die
ooit zelfstandige organismen
waren

Taxusblad

Dank de zon voor adem

TOM BLOEMBERG

Jan Baptista van Helmont

HET LIJKT ONVOORSTELBAAR, MAAR BOMEN GROEIEN VRIJWEL GEHEEL op een dieet van mineraalwater met prik. En een gezonde dosis zonlicht. Lang dacht men dat planten groeien door voedingsstoffen uit de bodem op te nemen, maar de Vlaams-Nederlandse alchemist Jan Baptista van Helmont bewees in de zeventiende eeuw dat dit niet zo kon zijn.

Hij had een jonge wilg in een pot die in vijf jaar tachtig kilo zwaarder was geworden, terwijl uit de pot slechts een paar honderd gram grond verdwenen was. Van Helmont concludeerde dat de extra kilo's van de wilg dus wel uit het water afkomstig moesten zijn dat hij in de loop der jaren in de pot had gegoten.

Ruim een eeuw later ontdekten de Engelse predikant en chemicus Joseph Priestley (niet geheel toevallig ook de uitvinder van mineraalwater met prik) en de Nederlandse wetenschapper Jan Ingenhousz dat planten niet alleen van water, maar ook 'van de wind' leven. De bladeren nemen kooldioxide (CO_2) op uit de lucht en ademen zuurstof uit, ontdekte Ingenhousz. Daarnaast nemen ze met hun wortels een kleine hoeveelheid voedingsstoffen uit de grond op. De massa-afname van de grond die Van Helmont mat, werd hierdoor veroorzaakt. Het is de reden voor bemesting van tuinen en landbouwgronden.

Maar om water, CO_2 en voedingsstoffen om te zetten in een eik of wilg is energie nodig. Die energie halen planten, bomen en algen uit de zon, in een ingenieus biochemisch proces dat fotosynthese wordt genoemd. Dit proces vormt

→ Centraal bij fotosynthese staat chlorophyl, een felgroen molecuul dat bestaat uit een metaalatoom (magnesium) in een koolstof-stikstofring die porphyrine heet. Porphyrine is ook de basis van hemoglobine, dat zuurstof in het bloed transporteert, en vitamine B_{12}, dat een belangrijke rol speelt bij de spijsvertering. Beide zijn felrood en hebben respectievelijk een ijzer- en kobaltatoom in het midden.

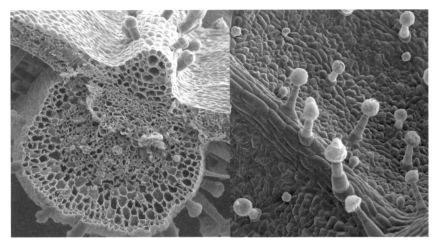

Doorsnede van een walnootblad   Onderkant van een walnootblad

de bron van al het leven op aarde, want mens en dier halen hun energie weer uit planten of de vruchten die zij voortbrengen. Praktisch ál het voedsel is direct of indirect van planten en algen afkomstig.

Ingenhousz beschreef fotosynthese al in de achttiende eeuw. Maar hoe het precies werkt, werd ruim 200 jaar later pas begrepen. Het proces vindt plaats in de bladgroenkorrels, die bladeren hun karakteristieke kleur geven. Dit zijn een soort minizonnecellen die koolstof uit het CO_2 samen met het waterstof uit water omzetten in glucose en zuurstof.

De zuurstof wordt weer uitgeademd. Glucose, een soort suiker, gebruikt de plant om te groeien. Het wordt bijvoorbeeld in hout omgezet. Of de plant legt er een energievoorraad mee aan. Dan zet hij de suikers om in zetmeel, zoals in aardappelen.

De bladgroenkorrels waren ooit kleine, zelfstandige organismen. Ze hebben nog steeds hun eigen DNA, dat verdacht veel lijkt op dat van fotosynthetiserende bacteriën. Ook vermenigvuldigen de bladgroenkorrels zichzelf, onafhankelijk van de plantencellen waarin ze zich bevinden. De planten van nu zijn dus ontstaan uit een miljarden jaren oud samenlevingscontract tussen twee zelfstandige organismen.

Vóór de ontwikkeling van fotosynthese bestond er al wel bacterieel leven op aarde. Toen ongeveer drie miljard jaar geleden de eerste bacteriën de energie van de zon leerden vastleggen, werden organismen een stuk ingewikkelder. Nu is er bijna geen leven meer dat zijn energie niet via fotosynthese uit zonnestralen krijgt. Als de stralen van de zon zouden wegvallen, zou alleen het kleine aantal organismen dat zijn energie haalt uit vulkanische hitte in de diepzee blijven bestaan.

Door de enorme hoeveelheid planten en algen op aarde steeg het zuurstofgehalte in de atmosfeer gestaag. Zuurstof is eigenlijk een giftig gas dat erg makkelijk reageert met allerlei stoffen, ook die waaruit organismen zijn opgebouwd. Het leven op aarde dreigde zo een paar miljard jaar geleden ten onder te gaan aan zijn eigen succes. Maar veel organismen wisten zich zo aan te passen dat een 'zuurstofcatastrofe' werd afgewend.

Tegenwoordig bestaat de atmosfeer van de aarde voor 21 procent uit zuurstof. Al die zuurstof is door het leven zelf geproduceerd. Het leven is er tegelijk ook volledig afhankelijk van. De meeste dieren kunnen zelfs niet langer dan een paar minuten zonder.

In de afgelopen jaren is het percentage CO_2 in de atmosfeer als gevolg van de economische groei snel aan het stijgen. Mensen verstoken fossiele brandstoffen, kappen veel bos en door de bevolkingsgroei neemt ook de behoefte aan voedsel, grondstoffen en energiebronnen toe.

Fotosynthese wordt vaak genoemd als hét mechanisme dat aan deze ontwikkeling tegenwicht kan bieden. Het kopen van bomen om de negatieve impact van een vliegreis te compenseren, is daarvan een eenvoudig voorbeeld. Maar uiteindelijk zet dat geen zoden aan de dijk, omdat de vastgelegde koolstof uiteindelijk weer vrijkomt als de boom vergaat. Echt voordeel is er pas als brandstoffen of elektriciteit gemaakt worden met behulp van zonlicht.

Goedkope zonnecellen gebaseerd op bladgroenkorrels zouden in principe meer dan 90 procent van het zonlicht dat ze opvangen, in elektriciteit kunnen omzetten. Dat is heel wat beter dan de magere 15 procent die zonnecellen van silicium nu halen.

Ook de rechtstreekse productie van waterstofgas of alcohol met behulp van fotosynthese lijkt niet onmogelijk. Zulke schone biobrandstoffen kunnen benzine op den duur mogelijk vervangen. Als dat gebeurt hebben de Engelsen een vooruitziende blik gehad. In hun taal betekent het woord plant namelijk zowel 'plant' als 'energiecentrale'.

Nederland kent een kleine dertig horti botanici, plantentuinen waar bijzondere planten te zien zijn. Een lijst is te vinden op de website van de Nederlandse Vereniging van Botanische Tuinen: http://botuweb.bio.uu.nl/nvbt.

→ Jan Ingenhousz was in de eerste plaats arts, onder andere van de Oostenrijkse keizerin Maria Theresa, maar had uit religieuze motieven ook een grote belangstelling voor natuurkundig onderzoek. Hij stelde vast dat planten bij daglicht gas opnemen dat dieren uitademen (CO_2). 's Nachts en in de schaduw ademen beide datzelfde gas uit. Bij daglicht ademen planten een ander gas (O_2) uit, dat dieren nodig hebben om te leven.

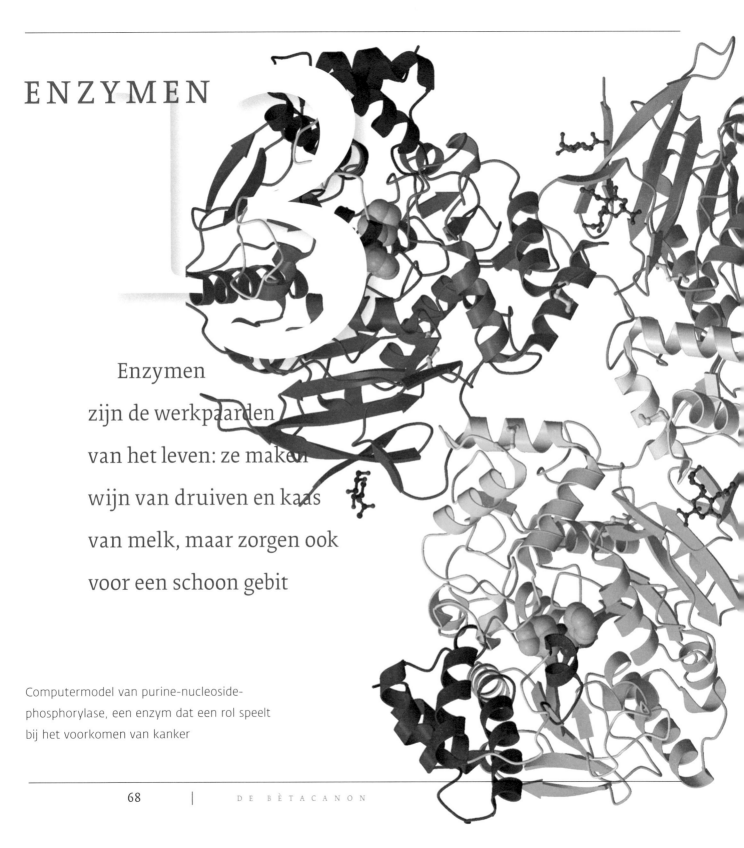

ENZYMEN

3

Enzymen
zijn de werkpaarden
van het leven: ze maken
wijn van druiven en kaas
van melk, maar zorgen ook
voor een schoon gebit

Computermodel van purine-nucleoside-
phosphorylase, een enzym dat een rol speelt
bij het voorkomen van kanker

Eiwitten voor de goede orde

BAS PONSIOEN

Louis Pasteur

EN GOED GLAS WIJN MET EEN STOKBROODJE FRANSE KAAS.
Zonder enzymen zou dat genot niet bestaan. Het moeten magische ontdekkingen zijn geweest: een druppel van de inhoud van een kalfsmaag deed melk veranderen in kaas, vergistende druiven werden tot wijn en geconcentreerde bakkersgist hielp een plak deeg rijzen tot luchtig brood.

Wat zulke veranderingen veroorzaakt, werd pas eind negentiende eeuw duidelijk. Toen kreeg Louis Pasteur van keizer Napoleon III opdracht een oplossing te vinden voor het bederven van wijn tijdens export naar het buitenland. Alle processen in het wijnvat zocht hij uit tot op de bodem – en daar trof hij een *culture* van gistcellen aan. Hij ontdekte dat deze gistcellen stoffen bevatten die de vorming van alcohol veroorzaken. Stoffen met zulke magische werking hebben de naam enzym gekregen, Grieks voor 'in gist'.

Enzymen zijn eiwitten die chemische reacties katalyseren: ze versnellen een proces dat van zichzelf zeer traag verloopt, als een schoenlepel die de voet in de schoen helpt. Vele processen in het lichaam verlopen niet vanzelf, maar wel onder begeleiding van enzymen. Een legioen van duizenden soorten enzymen handhaaft de orde in de levende cel. Leven valt of staat met enzymen. Sterker nog, het ontstaan van het leven wordt herleid tot het eerste molecuul dat zichzelf door middel van enzymwerking wist te kopiëren.

Neem bijvoorbeeld het huzarenstukje van amylase, een enzym dat in speeksel

Het lichaamseigen enzym carboxylesterase-1 vouwt zich om cocaïne- en heroïnemoleculen heen om ze af te breken

voorkomt en zetmeel afbreekt tot afzonderlijke suikers. Amylase bindt zich aan de zetmeelketen als in een innige omhelzing, maar forceert vervolgens een wurggreep. Daardoor bezwijkt een schakel in de zetmeelketen en wordt één suikertje losgeknipt.

Volgens een vergelijkbaar principe kunnen andere enzymen twee moleculen omhelzen en juist aan elkaar vastkoppelen. Dit proces heet synthese. Het koppelen van aminozuren tot eiwitten heet eiwitsynthese en is het werk van reusachtige enzymatische machines met de naam ribosomen.

In speekselkliercellen krijgen de ribosomen bijvoorbeeld de opdracht aminozuren aan elkaar te koppelen tot nieuwe amylases. Die kunnen dan aan het speeksel worden afgegeven om de zetmelen uit een boterham aan te vallen. Zo'n opdracht voor ribosomen wordt afgegeven door een gen in het DNA. Het gen stuurt een boodschappermolecuul, dat het ribosoom exact vertelt welke aminozuren in welke volgorde aan elkaar moeten worden gezet.

Als er fouten in het DNA sluipen, kunnen defecte enzymen ontstaan, soms met ziekten tot gevolg. Zo bevatten kankercellen vaak overactieve varianten van enzymen die de celdeling bevorderen. Daardoor blijven ze zich op ongecontroleerde wijze vermeerderen. Hetzelfde gebeurt als enzymen die celdeling onderdrukken, hun functie verliezen. Veel biomedisch onderzoek richt zich dan ook op zulke enzymen en op het vinden van manieren om hun activiteit te beïnvloeden.

Het meest alledaagse voorbeeld van een enzymremmer is paracetamol. Dit kleine molecuul remt de activiteit van een enzym dat verantwoordelijk is voor de aanmaak van pijnsignalen. Zo schakelt het de sensatie van hoofdpijn uit, al bestrijdt het de oorzaak van de pijn niet.

Ook in de strijd tussen de verschillende vormen van leven zijn enzymen een terugkerend thema. Schimmels bestoken bacteriën bijvoorbeeld met penicilline, dat een onmisbaar enzym van de bacterie uitschakelt. Bijen, spinnen en slangen voegen agressieve enzymen toe aan hun gifmengsel. Honden en katten voorzien hun speeksel van bacteriedodende enzymen ter voorkoming van infecties.

In de oorlog tegen de bacteriën die gaatjes in tanden en kiezen veroorzaken, is tegenwoordig een rol weggelegd voor tandpasta met enzymen erin. Die breken suikers af en produceren een remstof voor bacteriegroei. Wasmiddelen bevatten enzymen voor de afbraak van eiwitten en vetten. De professionele sloopmoleculen doen hun werk op veertig graden, dus de was hoeft niet meer te krimpen om brandschoon te worden.

De industrie zet enzymen op grote schaal in als werkpaarden voor de productie van geneesmiddelen en voedingscomponenten. Hedendaagse kaasmakers laten het kalf met rust. Het enzym dat kaasbereiding mogelijk maakt, wordt aangemaakt door genetisch gemodificeerde gistcellen. Die hoeven niet te scharrelen in de vrije natuur, maar zwemmen in reusachtige, klimaatgereguleerde productievaten.

Voor celbiologen is de toenemende hoeveelheid kennis over enzymen haast problematisch. Van duizenden enzymen is het kunstje bekend, maar omdat vele elkaar beïnvloeden in hun werking, lijkt het onmogelijk een totaalbeeld te krijgen van hun gezamenlijke gedrag in een levende cel. De cel mag erg klein zijn, maar vanuit het perspectief van een enzym is het een gigantische ballenbak van rondsuizende moleculen. Die deeltjes botsen maar en reageren maar en beïnvloeden elkaars gedrag. Wie houdt de regie in deze grandioze chaos?

Dat is het gezamenlijke werk van de duizenden enzymen. Het leven is even enigmatisch als enzymatisch.

→ Bij de Stichting Academisch Rekencentrum Amsterdam staat sinds tien jaar een CAVE (Computer Assisted Virtual Environment), een kamer waarin onderzoekers door driedimensionaal geprojecteerde computerbeelden kunnen lopen. De CAVE wordt veel gebruikt door enzym-onderzoekers, die er computersimulaties van bewegende eiwitten kunnen volgen en door die intense beleving beter begrijpen.

→ Het Nederlandse chemiebedrijf DSM is een belangrijke producent van enzymen, niet alleen voor traditionele toepassingen als kaas en yoghurt, maar ook voor nieuwe, zoals voedseltoevoegingen. Onder de naam Brewers Clarex produceert het bijvoorbeeld een enzym dat vertroebeling van bier voorkomt, en DSM's enzym Maxapal zorgt dat mayonaise en andere sauzen minder snel schiften.

SYMBOLEN EN FORMULES

14

Hele alinea's ingewikkeld
denkwerk zijn weer te geven
in formules die de verbanden
tussen symbolen aangeven

Acteur Russell Crowe op de poster van de film
A Beautiful Mind van Ron Howard, over het
bewogen leven van de manisch-depressieve
logicus en Nobelprijswinnaar John Nash

Redeneren zonder woorden

JEANINE DAEMS

IN STRIPS STAAN DE DENKWOLKJES VAN VERSTROOIDE PROFESSOREN VAAK vol met een wirwar van wiskundige symbolen. Een echte wiskundige ziet meteen dat daar niets zinvols staat, het is een willekeurig samenraapsel. Maar de toon is gezet: wiskunde bestaat uit rare tekens die voor een normaal mens niet te begrijpen zijn. Waarom gebruiken wiskundigen en natuurwetenschappers deze symbolen?

De belangrijkste reden is efficiëntie. Met een formule kun je iets heel kort zeggen waar je met woorden vaak zinnen of zelfs alinea's voor nodig hebt. Als je een kwadratische vergelijking wilt oplossen, schrijf je bijvoorbeeld op: $x^2 + 5x + 8 = 2$. Zonder symbolen wordt dat een heel verhaal: 'Ik zoek een getal en als ik dat getal kwadrateer, dan vijf keer het getal erbij optel en er nog eens acht eenheden bij optel, dan komt er twee uit.' Op die manier is het moeilijk om het probleem helder te krijgen, laat staan het op te lossen.

Veel symbolen hebben een vaste betekenis, zoals π, + of 5. De betekenis van die symbolen is op een bepaald moment in de geschiedenis gewoon afgesproken: π is de verhouding tussen de omtrek en de diameter van een cirkel, + staat voor het optellen van getallen en 5 staat voor het cijfer vijf. Het waren meestal niet meteen standaardsymbolen en voor sommige begrippen zijn zelfs nog steeds verschillende symbolen in omloop. De Arabieren gebruiken bijvoorbeeld een heel ander symbool voor het cijfer vijf.

→ Meer dan twee eeuwen lang hebben Nederlandse kinderen hun basisrekenkennis opgedaan uit hetzelfde boek: *De cijfferinghe* van de Zwolse schoolmeester Willem Bartjens, dat in 1604 voor het eerst gepubliceerd werd. De jongste herdruk dateert uit 2004.

Het kiezen van een symbool voor een begrip getuigt van een zeker inzicht. Je kunt het symbool π bijvoorbeeld niet definiëren voordat je doorhebt dat de verhouding tussen de omtrek en de diameter voor alle cirkels hetzelfde is. Wanneer de eerste optelsom gemaakt werd, is niet bekend, maar het symbool + werd samen met – voor het eerst gebruikt aan het eind van de vijftiende eeuw door de Duitse wiskundige Johannes Widmann.

Daarvóór werd vaak gewoon een woord gebruikt. Het symbool is waarschijnlijk een afkorting van 'et', Latijn voor 'en'. De + was overigens nog niet meteen het standaardsymbool: in het zestiende-eeuwse Italië bijvoorbeeld werd nog 'p' gebruikt, als afkorting voor plus, wat Latijn is voor 'meer'.

Sommige symbolen hebben een vaste waarde die afhankelijk is van de context, vaak als ze gebruikt worden voor fysische grootheden. De V, bijvoorbeeld, staat in de elektriciteitsleer voor spanning, maar in de geometrie voor het aantal hoekpunten van een veelvlak. Neem een willekeurig veelvlak, zoals een kubus of piramide. Als V het aantal hoekpunten voorstelt, E het aantal ribben en F het aantal zijvlakken, dan zegt de veelvlakkenformule van Euler: $V - E + F = 2$. De formule legt dus het verband tussen drie fysische grootheden vast. Ter controle: de kubus heeft acht hoekpunten, twaalf ribben en zes zijvlakken. En inderdaad: $8 - 12 + 6 = 2$.

Behalve voor vaste begrippen en fysische grootheden worden ook vaak symbolen gebruikt voor variabelen, zoals de x in de kwadratische vergelijking. Ook voor vaste, onbekende getallen worden letters gebruikt, al komen die meestal uit het begin van het alfabet.

Het mooie aan formules is dat je ze niet hoeft te snappen om ze toch te kunnen gebruiken. Daardoor kunnen ze bepaalde delen van wiskundig redeneren mechanisch maken en zijn ze goed hanteerbaar voor computers. Wie een computer een kwadratische vergelijking wil laten oplossen, moet het probleem op zo'n manier aan het apparaat vertellen dat het in staat is het probleem te herkennen en te beslissen welk algoritme het moet gebruiken. Een formule is dus een perfect communicatiemiddel tussen wetenschappers en hun computers.

Maar ook voor wetenschappers onderling is het de duidelijkste manier van communiceren. Formules zijn namelijk eenduidig, in tegenstelling tot natuurlijke taal. Zodra de symbolen gedefinieerd zijn, is de betekenis van een formule niet meer voor meerdere interpretaties vatbaar.

De vertaalslag van een concreet probleem naar een vergelijking of formule is vaak al een groot deel van de oplossing: als je eenmaal een wiskundige formulering hebt gevonden, staat een groot standaardarsenaal aan wiskundige methodes tot je beschikking. Je hebt je probleem in een standaardvorm geschreven, zodat je ziet dat het heel erg lijkt op een probleem waar veel andere mensen ook al over hebben nagedacht.

Ook een wiskundige redenering zelf kan in formules worden opgeschreven, met behulp van de logische symbolen. 'Bewering P of bewering Q is waar' kun je bijvoorbeeld schrijven als 'P ∨ Q', en 'Bewering P en bewering Q zijn waar' als 'P ∧ Q'. De logische regels kun je gebruiken om mechanisch beweringen uit andere beweringen af te leiden. Weer geldt: je hoeft niet te snappen waarom de regels van de logica gelden om ze toe te kunnen passen.

Formules en symbolen zijn dus niets meer dan een efficiënt gereedschap in de wetenschap. Ze stellen mensen in staat heel precies en kort uit te drukken wat ze willen zeggen. Zonder symbolen zouden de denkwolkjes van verstrooide professoren dus veel groter moeten zijn.

→ Toen de Duitser Johannes Widmann in 1489 de symbolen + en − introduceerde, gebruikte hij ze niet om mee te rekenen, maar als afkortingen voor 'meer' en 'minder'. De eerste die ze in een algebraïsche vergelijking gebruikte, was de Nederlandse wiskundige Giel van der Hoecke in 1514. Vanaf dat moment zouden Duitsers en Nederlanders beide tekens fanatiek gebruiken, maar het duurde tot de achttiende eeuw voordat ze een internationale standaard werden.

Het standaardwerk *Geschiedenis van de wiskunde* is van de hand van D.J. Struik, zestig jaar oud inmiddels, maar nog steeds leverbaar. Luchtiger boeken over wiskunde zijn verkrijgbaar van de hand van John Allen Paulos en Ian Stewart.

KLIMAAT

13

De grilligheid van
het weer kent patronen
die wel voorspelbaar
zijn, al kan een kleine
ingreep grote gevolgen
hebben

Het afbreken van de Larsen-ijsplaat van
Antarctica in 2001, een mogelijk gevolg
van klimaatverandering

Het gemiddelde van alle weer

ANE WIERSMA

ANE WIERSMA

HET KLIMAAT IS HOT. BIJNA DAGELIJKS VALT TE LEZEN OVER HET broeikaseffect en de gevolgen die dat voor miljarden mensen zal hebben. Alle commotie is gebaseerd op klimaatmodellen die uitwijzen dat de temperatuur op aarde de komende honderd jaar zal stijgen. Meer stormen en overstromingen zullen het gevolg zijn.

Maar klimaatmodellen zijn veredelde weermodellen. Hoe kan het dan dat klimaatvoorspellingen zo serieus genomen worden, terwijl niemand erop rekent dat de weersvoorspelling voor volgende week zal uitkomen?

Het antwoord op die vraag ligt in het verschil tussen weer en klimaat. 'Weer' is de toestand van de atmosfeer op een bepaalde plaats en een bepaald moment; een chaotisch systeem dat niet voor een langere periode te voorspellen is. Dat ontdekte de Amerikaanse meteoroloog Edward Lorenz in de jaren zestig van de vorige eeuw, toen hij besloot om met een simpel computermodel een oude weersimulatie te herhalen. Voor het gemak gebruikte hij beginvoorwaarden met drie in plaats van zes cijfers achter de komma. De voorspelde weerpatronen waren totaal verschillend.

'Klimaat' is de gemiddelde toestand van het weer over meerdere jaren, en dat is veel beter te voorspellen. Het is op dit moment bijvoorbeeld onmogelijk om te zeggen op welke dagen het volgend jaar oktober gaat regenen, maar dat er die maand behoorlijk wat gaat vallen, is zeer waarschijnlijk.

Het is ook mogelijk te reconstrueren hoe het klimaat vroeger was. Zo is bekend

→ De Zweedse chemicus Svante Arrhenius leidde in 1896 als eerste af wat er gebeurt als de atmosfeer tweemaal zoveel CO_2 bevat als nu. Door extra isolatie zou de aarde meer warmte van de zon vasthouden. Gemiddeld leidde dat tot 4°C opwarming, schatte Arrhenius; dezelfde waarde als de modernste middelen voorspellen. Overigens zag Arrhenius vooral voordelen aan een warmere planeet, met name voor de landbouw.

Temperaturen van het Atlantische oceaanwater tijdens het orkaanseizoen in de Caraïben

dat het in Nederland gedurende de laatste tussenijstijd, zo'n 120.000 jaar geleden, zo warm was dat er nijlpaarden rondliepen. Toen de dinosaurussen op aarde rondliepen, was de Noordelijke IJszee vijftien graden en 600 miljoen jaar geleden had de planeet veel weg van een sneeuwbal.

Het klimaat op aarde wordt gedreven door energie van de zon en de draaiing van de planeet. Omdat er veel meer zonnestraling rond de evenaar valt dan op de polen, ontstaat er een luchtcirculatie. Warme lucht stijgt in de tropen op en wordt naar de polen getransporteerd. Maar omdat de aarde draait, wordt de luchtstroom afgebogen. Zo ontstaan typische windsystemen en klimaatgordels: natte warme tropen, warme droge woestijnen, koude droge polen en de gematigde zone waarin Nederland ligt. Deze zone wordt gedomineerd door hoge- en lagedrukgebieden. Nederland is daardoor een van de leukste gebieden om weerman te zijn. Mits je van afwisseling houdt.

Dankzij de broeikasgassen in de atmosfeer is de gemiddelde temperatuur op aarde vijftien graden. Als deze gassen geen zonnewarmte vasthielden, zou het achttien graden onder nul zijn. IJs, sneeuw en wolken hebben het tegenovergestelde effect. Zij reflecteren een deel van de zonnestraling die de aarde kan opwarmen.

Doordat het klimaat wordt gedreven door zonne-energie, beïnvloeden variaties in zonnesterkte het systeem. De kleine ijstijd, de koude periode in de vijftiende tot de negentiende eeuw waarin opvallend veel winterlandschappen geschilderd zijn, is waarschijnlijk het gevolg van een lichte afname in zonnesterkte.

Ook variaties in de baan van de aarde om de zon en schommelingen in de stand van de aardas veroorzaken veranderingen in de intensiteit en verdeling van zonne-energie. Deze veranderingen volgen vaste cycli, die precies kloppen met het regelmatige patroon van ijstijden en tussenijstijden. Volgens dit patroon is over zo'n 50.000 jaar een volgende ijstijd te verwachten.

Ook van binnenuit kan het klimaatsysteem verstoord worden. Natuurlijk door het gehalte aan broeikasgassen in de atmosfeer: hoe meer CO_2, methaan en waterdamp, hoe meer warmte wordt vastgehouden. Ook uitbarstingen van vulkanen hebben invloed: fijnstof en gassen die vulkanen uitstoten, houden namelijk zonlicht tegen. De uitbarsting van de Tambora op het Indonesische eiland Sumbawa in 1815 is daarvan een mooi voorbeeld. Het jaar daarop staat bekend als 'het jaar zonder zomer'. Zelfs in de zomermaanden sneeuwde het in Europa en de Verenigde Staten.

De factoren die het klimaat beïnvloeden, hebben onderling vaak een sterke wisselwerking. Soms wordt een verstoring afgezwakt (negatieve terugkoppeling) zoals bij de toename van broeikasgassen, die het warmer maakt, meer waterdamp geeft, meer wolken, minder zonnestraling, en dus afkoeling. Maar omdat waterdamp ook een broeikasgas is, geldt ook de positieve terugkoppeling: toename broeikasgassen, meer warmte, meer waterdamp, opwarming.

Zo zijn er talloze positieve en negatieve terugkoppelingen. Allemaal werken ze op verschillende tijd- en ruimteschalen. Het is onmogelijk om uit het hoofd te berekenen wat er bij een bepaalde verstoring precies gebeurt. Maar als je alle processen in een computermodel stopt, blijkt dat een kleine verstoring kan leiden tot abrupte verschuivingen, van de ene gemiddelde toestand naar de andere. Alsof een bal over de top van een berg geduwd wordt.

Abrupte klimaatveranderingen in het verleden, zoals de overgang van de laatste koude periode in de ijstijd naar de huidige warme periode, waarin Groenland binnen enkele tientallen jaren meer dan tien graden warmer werd, duiden op het bestaan van zulke drempelwaarden in het klimaatsysteem.

Het is dus mogelijk dat het versterkte broeikaseffect door het opstoken van fossiele brandstoffen het klimaat nét over zo'n drempelwaarde heen duwt naar een nieuwe toestand. Maar zelfs als wetenschappers het volledige klimaatsysteem perfect zouden kennen, is het exacte moment waarop de drempel overschreden wordt, onmogelijk te berekenen. Dat hangt namelijk samen met de onvoorspelbaarheid van het weer.

Weerman Harry Otten van Meteo Consult heeft verschillende boeken over het klimaat geschreven. Iets steviger kost is *Dreigend klimaat* van Elizabeth Kolbert. Het Intergovernmental Panel on Climate Change, een orgaan van de Verenigde Naties, heeft op haar website (www.ipcc.ch) een enorme weelde aan tekst en beeld voor wie zich op welk niveau dan ook in de materie wil verdiepen. Zie ook de *Rough Guide to: Climate Change*.

Christophorus Buys Ballot

→ Het KNMI is vooral bekend van de dagelijkse weersvoorspelling. Het valt onder het ministerie van Verkeer en Waterstaat, maar eigenlijk is het een wetenschappelijk instituut. De eerste directeur ervan, Christophorus Buys Ballot, heeft de wet op zijn naam staan over het verband tussen windrichting en luchtdruk, die weersvoorspellingen mogelijk maakt. Het KNMI houdt zich ook bezig met klimaatonderzoek en seismologie.

OERKNAL

Het heelal ontstond 13,7 miljard jaar geleden uit niets, waarna kleine oneffenheden zich vormden tot de huidige sterrenstelsels

Impressie van het heelal een miljard jaar na de big bang, samengesteld uit gegevens van de Hubble-ruimtetelescoop

Het ontstaan van ruimte en tijd

JELLE RITZERVELD

Volgens de Bushongo in Centraal-Afrika waren er in het begin alleen de duisternis, het water, en de god Bumba. Toen Bumba op een dag enorme buikpijn kreeg, braakte hij de zon, de maan en de sterren uit, en vervolgens de dieren en een enkele mens. Niet elk scheppingsverhaal is even genuanceerd. Maar in welke vorm ze ook komen, elke cultuur en elke religie vertelt zijn eigen versie van het verhaal hoe de wereld is ontstaan.

Hedendaagse wetenschappers bevinden zich in de bevoorrechte positie de grote lijnen van dat verhaal te kennen. Cruciale doorbraken in het inzicht in de natuurwetten en baanbrekende waarneemexperimenten hebben in de laatste honderd jaar geleid tot een coherent beeld van de geschiedenis en toekomst van het heelal. Eén ding is zeker: het heelal begon zeker niet met een harde knal.

Elk verhaal heeft een begin. Dat van het heelal begint 13,7 miljard jaar geleden, als de ruimte en tijd zelf ontstaan, en het heelal begint uit te dijen. Dat moment staat bekend als de oerknal. Die naam is misleidend. Als er al sprake was van een knal, dan was die zeker niet alleen helemaal aan het begin. Het heelal dijt nog steeds uit, en de explosie is nog gaande.

Met de huidige kennis van de natuurkunde valt te begrijpen wat er vlak na dat begin gebeurde. Toen het heelal slechts een fractie van een seconde oud was, werd de uitdijing exponentieel versneld door een onbekend energieveld dat het universum vulde. Gedurende deze zogeheten periode van inflatie expandeerde het huidig waar-

→ Het is voor mensen moeilijk voor te stellen dat er niet zoiets bestaat als 'voor de oerknal', omdat de tijd pas tijdens die knal ontstaan is. Toch is die gedachte niet nieuw. Al in de vierde eeuw na Christus speculeerde de kerkvader Augustinus dat de tijd door God geschapen was en dat er dus geen periode 'voor de schepping' bestond.

Geboorte van nieuwe
sterren in het sterren-
stelsel M81

neembare heelal binnen luttele momenten van de grootte van vele malen kleiner dan een proton tot iets op zijn minst zo groot als een knikker.

Het heelal was in dat begin gevuld met een oersoep van licht en deeltjes – waterstof, een beetje helium en een nog onbekende vorm van 'donkere materie'. Alles was in een nagenoeg perfect evenwicht: van een hoorbare explosie was dus geenszins sprake. Het evenwicht dat slechts verstoord werd door zeer kleine rimpelingen, niet groter dan een duizendste van een procent. Alle structuur in het universum, dus ook de zon en de aarde, is uit die rimpels ontstaan.

In 1964 ontdekten de Amerikaanse natuurkundigen Arno Penzias en Robert Wilson bij toeval dat er in het heelal een homogene gloed van microgolfstraling waarneembaar was: het bleek de al eerder voorspelde nagloed van de oerknal te zijn. Er was dertig jaar technologische ontwikkeling nodig om ook de rimpelingen in de op het eerste oog homogene gloed te kunnen ontwaren. Tegenwoordig zijn er satellieten met specialistische apparatuur die op de miljoenste graad nauwkeurig de temperatuur van de gloed kunnen meten.

Die oneffenheden in de oersoep trokken onder invloed van de zwaartekracht samen. Gebieden met hogere dichtheid werden daardoor dichter en gebieden met lagere dichtheid dunner. Zowel wiskundige berekeningen als computersimulaties laten zien dat dit proces uiteindelijk leidde tot een materieverdeling met een structuur die veel weg heeft van een bijenkorf, of bierschuim. Op een kaart van alle waarneembare sterrenstelsels is die structuur van slierten en vlakken inderdaad te herkennen.

Grote hoeveelheden waterstof trokken samen in de hogedichtheidgebieden van die schuimstructuur. De zwaartekracht was daar enorm, zodat het gas werd samengeperst en kernfusie plaatsvond: de eerste ster was geboren. In de kern van de ster werd het waterstof uit de oersoep versmolten in complexere deeltjes, en de daarbij vrijgekomen energie uitgestraald.

Een ster kan niet eeuwig blijven branden. Zodra de brandstof op is, is zijn bestaan ten einde. Zware sterren sterven als een zogenoemde supernova. In een laatste adem stoot de ster zijn gas af in een explosie die zo helder is dat de gloed ervan met het blote oog te zien is op aarde. De deeltjes en het stof, afgestoten bij zo'n supernova, kunnen weer samentrekken tot een nieuwe ster, of zelfs tot planeten. Alle elementen anders dan waterstof of helium zijn ooit in de kern van een ster gevormd. Dat geldt ook voor de elementen die belangrijk voor leven op aarde zijn, zoals koolstof en zuurstof. De aarde is een stukje sterrenstof.

Hoewel het verleden van het heelal steeds beter in kaart gebracht wordt, valt over de toekomst slechts te speculeren. Recente metingen van de snelheid van de uitdijing van het heelal geven meer inzicht in het uiteindelijke lot van het universum. Zoals het er nu naar uitziet, zal de uitdijing nooit stoppen. De kringloop van sterrenstof zal doorgaan terwijl het heelal verder uitdijt. De hoeveelheid waterstof in het heelal is echter eindig, dus op een gegeven moment is die brandstof op. De vorming van nieuwe sterren is hiermee ten einde, en de sterren aan de hemel zullen uiteindelijk doven.

Hoewel: aan elk goed verhaal zit een verrassende wending. Recente waarnemingen wijzen op een 'donkere energie', een energieveld dat de uitdijing lijkt te versnellen, een proces dat veel lijkt op wat gebeurde tijdens de kosmische inflatie. De exacte herkomst van de donkere energie en de gevolgen voor het heelal zijn vooralsnog onbekend.

De vooruitgang in onze kennis van het heelal gaat niet zonder horten of stoten. Elk inzicht is het resultaat van decennialang werk van getalenteerde onderzoekers. Door hun jarenlange toewijding hebben goden plaats gemaakt voor natuurkundige processen in een moderne versie van het ontstaan van de wereld. Waar het heelal 13,7 miljard jaar over gedaan heeft, is in minder dan honderd jaar grotendeels ontcijferd.

Het heelal van Stephen Hawking is het best verkochte en naar verhouding vermoedelijk minst gelezen boek over de kosmologie, *The First Three Minutes* van Steven Weinberg is een fraaie inleiding. *Big Bang voor in je binnenzak* is een beknopte inleiding door wetenschapsjournalist Govert Schilling.

→ De eerste lichttelescoop werd rond 1608 gemaakt in Nederland. In de twintigste eeuw was de Leidse hoogleraar Jan Hendrik Oort de aanjager van de bouw van radiotelescopen, die niet naar zichtbaar licht kijken, maar naar andere vormen van elektromagnetische straling. Die in Kootwijk, Dwingelo en Westerbork kan hij op zijn naam schrijven. Met Europese collega's gaf hij de aanzet voor de bouw van een grote radiotelescoop in het noorden van Chili, een plek met minimale kans op bewolking.

Astronoom Hendrik Oort

ECOSYSTEEM

In het leven gaat het overal
om eten en gegeten worden,
om ketens en kringlopen,
steeds op zoek naar stabiel
evenwicht

Een kwetsbaar ecosysteem:
de toendra van Kanuti in
Alaska

Hecht netwerk van eten en eters

IRENE TIELEMAN

→ Als 'vader van de ecologie' geldt de Duitser Alexander von Humboldt, die nog voor Charles Darwin en Alfred Wallace over de wereld reisde om de natuur te bestuderen. Van 1799 tot 1804 reisde hij door Latijns-Amerika, met name het Amazonegebied, en zijn bevindingen pende hij neer in een groot aantal boeken. Von Humboldt deed ook observaties die later zouden bijdragen aan de ontdekking van plaattektoniek. De website Wikipedia heeft een aparte pagina voor alle dieren, planten, plaatsen en instituten die zijn naam dragen.

D E ECOLOGIE BESCHRIJFT DE ROL VAN ALLE DIEREN, PLANTEN EN andere levende organismen, zoals algen en schimmels, in hun omgeving. Zo zou een Groningse ecologe die te veel in haar werk opgaat, de vraag waar ze woont, en wat ze doet als volgt kunnen beantwoorden: 'Ik ben toppredator op een uitloper van een zandrug in een verstedelijkt landschap met gematigd zeeklimaat.'

Een klavertjevier in een Friese wei wordt in dezelfde termen 'een primaire producent op zeeklei'. Vanuit het perspectief van de mens is de klaver daarbij koeienvoer, noodzakelijk voor de melk en biefstuk in de supermarkt. Klaver, koe en mens zijn onderdelen van een voedselketen in één type ecosysteem: het grasland.

Een ecosysteem is het geheel van planten, dieren en micro-organismen in een bepaalde omgeving. Alle onderdelen (bodem, planten, dieren, klimaat) zijn onderling van elkaar afhankelijk, en in een felle strijd om het voortbestaan verwikkeld. Twee bomen naast elkaar vechten om het licht, nodig voor hun groei.

In de ecologie gaat het om eten en gegeten worden, om de voedselketen en kringlopen. Deze fenomenen zijn op iedere schaal aanwezig: in een tuin, een park, een bos, een savanne of een toendra. Maar het is moeilijk om de grenzen van een systeem te definiëren, zelfs van het ecosysteem aarde, dat afhankelijk is van de zon.

In een ecosysteem is alles met alles verbonden. De relaties bestaan voor een belangrijk deel uit eten. Alle groene organismen, zoals kruiden, bomen, struiken, maar ook algen, wieren, mossen en varens staan aan de basis van de voedselketen.

Blauwe reiger

Zij zijn de producenten. De planten worden gegeten door herbivoren, planteneters als konijnen en runderen. Een trapje hoger staan de vleeseters of carnivoren, zoals reigers, vossen en roofvogels. Soorten die alles eten, heten omnivoren.

Op ieder niveau wordt het ecosysteem beschreven door de verschillende elementen waaruit het is opgebouwd: de niet-levende componenten als bodem en klimaat zijn randvoorwaarden voor de micro-organismen, planten en dieren die erin leven. In een vijver bepalen zuurgraad en voedselrijkdom welke waterplanten er groeien. Die dienen als voer voor watervlooien en andere kleine waterbeestjes. Deze beestjes worden weer gegeten door stekelbaarsjes en kikkers. En de blauwe reiger, als toppredator, vist zo nu en dan een kikker uit de vijver.

Naast predators, die andere organismen opeten, zijn er ook parasieten die op een levende gastheer groeien. Deze interacties tussen soorten zorgen voor een dynamisch evenwicht in een ecosysteem. In een goed functionerend ecosysteem verschuift het evenwicht continu om zich weer te herstellen. Als de vogelgriep toeslaat onder blauwe reigers (die in kolonies leven) kan zo'n griepvirus zich snel verspreiden. Een groot deel van de blauwe reigers legt dan het loodje. Het gevolg is dat de dichtheden kleiner worden, waardoor het virus zich niet meer goed verspreidt. De overgebleven gezonde reigers brengen vervolgens jongen groot. De populatie neemt weer toe. Tot de volgende griepgolf.

Ecologische kennis wordt toegepast in natuurbescherming en -beheer, maar ook bij het oplossen van problemen op grotere schaal, zoals landdegradatie en klimaatverandering. In een warmer klimaat is het beter om planten te zaaien die goed tegen hogere temperaturen kunnen. Of om grote aaneengesloten natuurgebieden en natuurcorridors te maken, zodat soorten de ruimte krijgen om vanuit Zuid-Europa naar het noorden op te schuiven. Ze moeten immers steeds een nieuw leefgebied veroveren. De ecologische hoofdstructuur, zowel in Nederland als in Europa, is daarom gebaseerd op dit netwerk van met elkaar verbonden natuur en wateren.

Het is in Nederland vaak moeilijk om de natuur met rust te laten én te behouden. Wat als natuur gezien wordt, is bijna altijd cultuurbepaald. Neem heidegebieden. Zonder begrazing door schapen zouden ze in mum van tijd bos zijn. Als alle Nederlandse natuur op natuurlijke wijze in bos zou veranderen, dan zou er in de ogen van velen juist sprake zijn van zeer eenzijdige, monotone natuur. Natuur wordt eerder afgemeten aan diversiteit dan aan natuurlijke processen. Veel variatie, veel soorten, dat ziet de westerse mens het liefst.

De keuze voor het behoud van bepaalde typen natuur houdt dan ook regelmatige ingrepen in. Daarbij is kennis van ecosystemen onontbeerlijk. Want welke grazers zijn nodig en hoeveel? Op de heide, in het rivierengebied, op de kwelder? En hoe zit het met het behoud van autochtone soorten die bedreigd worden door exoten, soorten die door mensen zijn geïntroduceerd in ecosystemen waar ze niet thuishoren? Doorgaans zijn de nieuwkomers niet gevoelig voor autochtone ziekten en parasieten, en komen ze niet voor in het dieet van de lokale roofdieren. De normale processen van populatieregulatie zijn op hen niet van toepassing.

Chinese wolhandkrab

De druk van de mens op het ecosysteem aarde is tegenwoordig enorm. Het aantal mensen is sterk toegenomen, net als de mobiliteit, de vraag naar voedsel en energie. Er is geen directe lokale terugkoppeling op het ecosysteem. Als in Nederland de biefstukken op zijn, kunnen de bewoners moeiteloos overschakelen op tilapiafilet. Daarmee kan de meer welvarende wereld haar behoeften aan voedsel blijven vervullen.

Volgens recente schattingen is de ecologische voetafdruk van de mens – de impact van een leefstijl op de aarde – ongeveer 25 procent groter dan de planeet duurzaam kan leveren. Het zou dus slimmer kunnen zijn om de draagkracht van ecosystemen niet uit te putten. Omdat ze anders op een gegeven moment simpelweg dienst weigeren.

→ De afgelopen decennia zijn er enkele tientallen exoten bijgekomen, zowel planten als dieren. Verschillende soorten parkieten zijn ontsnapt uit gevangenschap en handhaven zich in kleine kolonies. De muskusrat en de Chinese wolhandkrab zijn zo succesvol dat ze vaak als schadelijk worden aangemerkt. De douglasspar is expres uit Noord-Amerika naar Europa gehaald vanwege zijn sterke hout.

Het museum Naturalis in Leiden heeft een collectie van miljoenen opgezette dieren en fossielen. Het heeft diverse permanente en tijdelijke tentoonstellingen over het leven op aarde, veel educatieve activiteiten en een aantal onderzoeksafdelingen.
De films van Sir David Attenborough bieden vaak een goed beeld van onderlinge relaties in het dieren- en plantenrijk.

FOUT 18

Hoe stellig de exacte
wetenschappen ook
kunnen zijn: fouten
blijven de grondstof
voor vooruitgang

Alleen het onzekere is zeker

NADINE VASTENHOUW

→ Een beruchte fout uit de recente wetenschapsgeschiedenis van Nederland is de affaire Buck uit 1990. De Eindhovense hoogleraar Henk Buck publiceerde in het gerenommeerde tijdschrift *Science* over een stof die de vermenigvuldiging van het hiv-virus zou tegengaan. Hij bleek echter moedwillig met de onderzoeksresultaten geknoeid te hebben.

VAN DIT STUK IS EEN UITGEBREIDE VERSIE IN EEN WIKI OP DE WEBSITE van *de Volkskrant* verschenen. Eventuele fouten en omissies konden aangevuld worden door lezers, die daar gretig gebruik van maakten. Op een aantal punten is deze versie daarom beter dan de oorspronkelijke.

Het principe van de wiki vertoont een sterke overeenkomst met de wetenschappelijke werkwijze. Er wordt een beeld van de wereld gevormd dat steeds wordt bijgeschaafd en uitgebreid. Voor alle onderwerpen in de bètacanon geldt dat ze over een poos achterhaald kunnen zijn. Niet omdat de schrijvers hun lezers een rad voor ogen wilden draaien, maar omdat wetenschap nu eenmaal dynamisch is. Het beeld van de werkelijkheid wordt constant getoetst, soms verlaten en vaak uitgebreid. Fouten zijn onlosmakelijk met dit proces verbonden, ze staan aan de basis van de vooruitgang van de kennis.

Wetenschappers beginnen altijd met een vermoeden. Ze denken te weten hoe iets zit. Vervolgens bedenken ze hoe ze die gedachte kunnen toetsen. Dat is niet altijd even makkelijk, want een bioloog mag dan vaak iets in handen hebben dat hij kan manipuleren, voor astrofysici en geologen ligt dat een stukje moeilijker. Zij moeten het doen met wat ze aantreffen. Hoe dan ook, de hypothese dient getest te worden. Tijdens de test is het belangrijk om te herkennen wat er fout is in de originele hypothese. En dat vervolgens ook te erkennen.

Thales van Milete was in de zesde eeuw voor Christus een van de eersten die

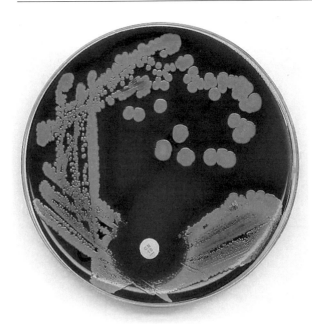

Kweek van de bacterie Staphylococcus aureus, waarin Fleming in 1923 door een fout de anti-bacteriele werking van penicilline ontdekte

het belang van fouten benadrukte. Zijn uitgangspunt luidde dat opvattingen gestaafd moeten worden met argumenten en dat men conclusies omtrent het universum alleen mag baseren op het universum zelf en niet op goddelijke interventie. Die manier van redeneren leidde onder andere tot de foutieve hypothese dat de wind de overstromingen van de Nijl veroorzaakte. Toch was deze uitspraak in wetenschappelijk opzicht een belangrijke doorbraak.

De wetenschap heeft een enorme vlucht genomen sinds wetenschappers in de zeventiende eeuw systematisch via experimenten natuurverschijnselen gingen onderzoeken om zo theorieën te toetsen en verder te ontwikkelen. Kortweg wordt dat nu 'de wetenschappelijke methode' genoemd.

In de jaren dertig van de twintigste eeuw schreef de wetenschapsfilosoof Karl Popper een gezaghebbend boek over die wetenschappelijke methode, getiteld *Logik der Forschung* (*De logica van het onderzoek*). Hierin stelt hij dat een wetenschappelijke hypothese altijd te falsificeren moet zijn. Dat wil zeggen, het moet mogelijk zijn een test te bedenken die zowel de waarheid als de onwaarheid van de hypothese kan aantonen. Een test die gegarandeerd goed afloopt, is waardeloos.

In de tijd van Thales was de heersende gedachte dat de goden de overstromingen van de Nijl veroorzaakten. Zo'n hypothese zou Popper onmiddellijk betitelen als onwetenschappelijk, omdat het onmogelijk is om die te toetsen. De hypothese dat de wind de Nijl laat overstromen, voldoet wel aan twee belangrijke eisen, namelijk dat de grenzen van de bewering duidelijk zijn (het gaat over de Nijl en iedereen weet wat met de wind bedoeld wordt) en dat deze relatief makkelijk te toetsen valt. Deze hypothese is daarom weliswaar onjuist, maar wel wetenschappelijk verantwoord.

Popper ging nog een stap verder. Met de juiste hypothese in handen moet elke wetenschapper op zoek naar bewijzen voor het tegendeel. Als wetenschapper moet je proberen je eigen theorie te falsificeren.

Naast dit opzettelijk zoeken naar de fouten in de heersende theorieën is er nog een ander soort fout die soms tot grote ontdekkingen leidt: het ongelukje, of de slordigheid. Het meest aansprekende voorbeeld van een wetenschapper die met dergelijke fouten zijn voordeel deed, is de Schot Alexander Fleming. Hij deed in zijn leven twee grote ontdekkingen. Beide waren het directe gevolg van slordig werken.

Fleming had zich ten doel gesteld een middel te vinden tegen bacteriële infecties dat niet schadelijk was voor de mens. Toen hij in 1922 had zitten hoesten boven de platen met bacteriën waaraan hij werkte, merkte hij dat de bacteriën de volgende dag verdwenen waren. Zo ontdekte hij lysozym, een enzym in tranen en neusvocht dat helpt om bacteriële infecties tegen te gaan.

Een paar jaar later deed Fleming een ontdekking die hem de Nobelprijs voor de geneeskunde opleverde. Hij was op vakantie gegaan en had platen met de bacterie staphylococcus aureus op zijn tafel laten slingeren. Toen hij terugkwam, bleken de platen volgegroeid te zijn met schimmels. Op één van de platen had de schimmel de bacteriën van de plaat verdreven. De schimmel bevatte een antibacteriële stof, die iedereen nu kent onder de naam penicilline. Helaas heeft de betreffende bacterie zich inmiddels doorontwikkeld tot een penicilline-bestendige variant, de ziekenhuisbacterie MRSA.

Fouten zijn belangrijk in het wetenschappelijk proces zelf, maar spelen ook een essentiële rol in het onderwerp van studie, de natuur. Fouten in DNA, ofwel mutaties, treden voortdurend op. De meeste van deze fouten worden razendsnel herkend en hersteld door de reparatiemechanismen aanwezig in cellen. Maar soms laat dit zelf-corrigerend vermogen een steekje vallen en ontstaat een echte verandering.

Als een mutatie in een gewone cel zoals een spiercel of een huidcel plaatsvindt, dan is daar waarschijnlijk weinig van te merken. Slechts in een klein aantal gevallen leidt zo'n mutatie tot kanker. Maar als de 'fout' optreedt in het DNA van een ei- of spermacel, dan wordt het een bouwsteen voor de nakomeling. Deze veranderingen zijn de basis voor evolutie: als ze nadelig zijn voor een organisme, verdwijnen ze vanzelf uit de populatie, terwijl mutaties met een positief gevolg vaker standhouden.

Het werk van Popper, Kuhn en Feyerabend is in het Engels nog volop verkrijgbaar. Een stevige inleiding 'Wetenschapsfilosofie' is van de hand van Leon Horsten, Igor Douven en Erik Weber.

→ Naast Karl Popper gelden Thomas Kuhn en Paul Feyerabend als de twee prominentste wetenschapsfilosofen van de twintigste eeuw. Kuhn lanceerde de 'paradigma-wisseling', een theorie die stelt dat lange periodes van gestage vooruitgang in de wetenschap afgewisseld worden met korte periodes van grote veranderingen, zoals tijdens de opkomst van de kwantummechanica. Feyerabend was een tegenstander van een vaste methode om te bepalen wat goede wetenschap is. De beste wetenschap ontstond volgens hem juist als onderzoekers aan kaders wisten te ontsnappen.

STANDAARDMODEL

19

Met één theorie
zijn drie van de vier
basiskrachten in
de materie exact te
begrijpen – nu de
vierde nog

De nieuwe Atlas-detector in
Genève in aanbouw

De samenhang der krachten

LIZA HUIJSE

VLAK BUITEN GENÈVE, OP DE GRENS VAN ZWITSERLAND EN FRANKRIJK, ligt 's werelds grootste wetenschappelijke experiment. Bijna honderd meter onder de grond bevindt zich een 27 kilometer lange tunnel met daarin de Large Hadron Collider (LHC), de deeltjesversneller van CERN, het Europese laboratorium voor deeltjesfysica. Aan het experiment werken tienduizend mensen van vijfhonderd instituten uit vijftig landen mee.

De reden voor dit extreme experiment schuilt in vragen die de mensheid al millennialang bezighouden: waar zijn mensen van gemaakt? Hoe valt de materie in deeltjes uiteen te pluizen? Wat is het systeem en waar stopt het? De zoektocht naar de bouwstenen van de materie leidde 200 jaar geleden tot de ontdekking van de atomen, naar het Griekse woord voor ondeelbaar. De ontdekking van de kwantummechanica ging gepaard met het besef dat atomen helemaal niet ondeelbaar zijn, maar opgebouwd uit elektronen, protonen en neutronen.

Een tijd lang dacht men dat het onmogelijk was om die drie deeltjes nog verder op te delen. Dat bleek niet te kloppen. Protonen en neutronen blijken op hun beurt te zijn opgebouwd uit zogenoemde quarks. En dat is nog niet alles. In de tweede helft van de vorige eeuw is ontdekt dat er een heel scala aan elementaire deeltjes bestaat. Vele zijn zo exotisch dat ze niet vrij in de natuur voorkomen en slechts fracties van een seconde kunnen bestaan onder kunstmatige omstandigheden. Ze gedragen zich ook niet als kleine biljartballen, maar volgens de vreemde wetten van de kwantummechanica.

't Hooft   Veltman

→ Twee Nederlandse natuurkundigen, Gerard 't
Hooft en Martinus Veltman, kregen in 1999 de
Nobelprijs voor de natuurkunde voor hun bijdrage
aan het standaardmodel. Het Nobelcomité prees
hun bijdrage aan de 'theoretische machinerie'
van het model, waardoor het onder andere beter
mogelijk wordt eigenschappen van nieuwe deeltjes
te voorspellen. Zo voorspelden ze al in de jaren
zeventig de eigenschappen van een quark die pas
in 1995 in een deeltjesversneller daadwerkelijk
waargenomen werd.

De elementaire bouwstenen van de materie zijn aan
vier krachten onderworpen, die het cement vormen dat de
stenen verbindt. Twee van die krachten kent iedereen: de
zwaartekracht, die een steen doet vallen, en de elektromagnetische kracht, die een lamp laat branden. De twee andere
krachten zijn minder bekend: de zwakke kracht, die een rol
speelt bij radioactiviteit, en de sterke kracht, die de deeltjes
in de atoomkern bijeen houdt.

Kenmerkend voor de verschillende elementaire
deeltjes zijn de eigenschappen die vertellen welke krachten
ze ondergaan, zoals massa, elektrische lading en meer
abstracte kenmerken als de 'smaak' en 'kleur' van quarks.
Er zijn aldus vele verschillende deeltjes te onderscheiden,
die zich allemaal verschillend gedragen. Het mag een
wetenschappelijk hoogtepunt heten dat onderzoekers erin
zijn geslaagd het effect van drie van de vier natuurkrachten,
de elektromagnetische, de zwakke en de sterke kracht, te
combineren in één theoretisch raamwerk.

Dit elegante model heet het standaardmodel en
beschrijft precies hoe al die verschillende deeltjes zich
onder invloed van deze drie krachten gedragen. Het is
gebaseerd op mooie symmetrieën en kan zeer precieze
voorspellingen doen.

Helaas vertelt het model niet wat het effect van zwaartekracht op de elementaire deeltjes is. Het is natuurkundigen tot nu toe niet gelukt de zwaartekracht aan de hand
van eenzelfde soort symmetrie te beschrijven als de andere drie krachten. Een
poging de zwaartekracht te temmen is de zogeheten snaartheorie, die krachten en
deeltjes voorstelt als trillingen van microscopische snaartjes.

Het is een enorme uitdaging om de wereld van de elementaire deeltjes in het
lab te bestuderen. Ze zijn niet alleen verschrikkelijk klein, maar ook erg instabiel,
ze bestaan vaak maar heel kort. Om de deeltjes te kunnen waarnemen, gebruiken
fysici deeltjesversnellers, zoals onder de grond bij CERN. Daarin worden protonen

of elektronen met hoge snelheden op elkaar geschoten. Bij die botsingen kunnen exotische, kort levende deeltjes ontstaan. Enorme detectoren (sommige ter grootte van het paleis op de Dam) leggen hun sporen vast.

Bij deze experimenten ontstaat een enorme hoeveelheid data. Om die goed te verwerken en wetenschappers over de gehele wereld te laten samenwerken, werd rond 1990 het wereldwijde web bij CERN ontwikkeld. Momenteel werkt CERN aan een geavanceerde integratie van computerkracht. Daarbij wordt de rekencapaciteit van een wereldwijd computernetwerk gebruikt om grote berekeningen te doen.

Overal in de wereld kijken natuurkundigen uit naar de eerste meetresultaten van de nieuwste deeltjesversneller, de LHC. Die moeten antwoord geven op een paar prangende vragen. Allereerst hoopt men het Higgs-deeltje te vinden, het enige deeltje dat wel is voorspeld, maar niet waargenomen. Dat deeltje is cruciaal om de massa van alle andere deeltjes te verklaren.

Een andere vraag is of voor elk bekend deeltje nog een zogenoemde super-partner bestaat. Zulke superpartners zijn bedacht om de massa van het Higgs-deeltje te begrijpen, en zijn wellicht een vorm van de nog steeds niet begrepen donkere materie. Ten slotte hoopt men meer te leren over de rol van de zwaartekracht. En misschien biedt de natuur ook echt nieuwe verrassingen. Want hoe precies en veel-omvattend het standaardmodel ook is, het is niet compleet.

Gerard 't Hooft schreef zelf twee populair-wetenschappelijke boeken over zijn vakgebied, *Van quantum tot quark* en *De bouwstenen van de schepping*, die alleen nog tweedehands verkrijgbaar zijn. *Quantum physics, a beginner's guide* van de Britse natuur-kundige Alastair Rae biedt een goede inleiding in de wetenschap van hele kleine deeltjes. Nieuwsgierigen kunnen een rondleiding van een halve dag krijgen bij CERN.

→ Fysici delen de deeltjes in drie generaties in, verbonden aan het elektron, het muon en het tau-deeltje. In elke generatie is ook een neutrino verbonden en twee quarks. Daarnaast zijn er nog zeven deeltjes die krachten overbrengen, waarvan het foton de bekendste is. Gewone materie bestaat uit deeltjes en combinaties ervan uit de eerste generatie.

PLASTICS

20

Kunststoffen bestaan uit mole-
cuulketens, waarvan de lengte en het
aantal vertakkingen de praktische
eigenschappen bepalen

Plastics zijn vrijwel in iedere vorm en
kleur te maken

Een samenspel van lange ketens

JEROEN WASSENAAR

IEDEREEN BETAALT WEL EENS 'MET PLASTIC' OM DE BOODSCHAPPEN vervolgens in een plastic tas mee naar huis te nemen. Plastic zit verwerkt in tv's, dvd's, auto's en mobieltjes. Het is overal terug te vinden, omdat het bijna alle eigenschappen en vormen kan meekrijgen. De ontwikkeling van plastic, of meer in het algemeen kunststof, is cruciaal geweest voor de westerse welvaart en levensstijl.

Plastic, of plastiek, is een verzamelnaam voor kunststoffen die door ze te smelten in de juiste vorm gegoten kunnen worden. Plastics zijn polymeren: lange moleculen die zijn opgebouwd uit duizenden kleinere moleculen. Die kleine moleculaire schakeltjes, monomeren, zijn meestal koolwaterstofmoleculen die gemaakt worden uit aardgas of olie. Maar ze zijn ook uit duurzame bronnen, zoals koolzaadolie of zetmeel, te halen.

Een polymeer is voor te stellen als een moleculaire schakelketting, waarbij de monomeren de schakels vormen. Deze schakelketting is wel behoorlijk lang, want een polymeer waar bijvoorbeeld hard plastic van wordt gemaakt, bevat toch al snel twintigduizend monomeren. Voor een tastbare ketting met schakels van een centimeter lang, zou dat een lengte van tweehonderd meter inhouden.

De eigenschappen van polymere materialen zijn totaal anders dan die van de losse monomeren. Zo is glucose op zichzelf een vaste, poederachtige stof, terwijl het polymeer ervan, cellulose in de vorm van katoen, een sterke vezel oplevert om kleding van te maken. De mens gebruikt al duizenden jaren natuurlijke polymeren

→ Hoe meer de polymeerketens uitgestrekt in dezelfde richting liggen, hoe sterker de resulterende vezel wordt. Daarvoor moet je het productieproces goed beheersen, want anders krijg je een kluwen. Twee Nederlandse bedrijven, DSM en Akzo, lagen in de jaren zeventig van de vorige eeuw voorop met het verzinnen van oersterke vezels, Dyneema en Twaron. De kunst is, ruwweg, om de polymeren op te lossen en dan in dunne stralen te spuiten. Terwijl het oplosmiddel verdampt, wordt aan de draad in wording getrokken om de moleculen zoveel mogelijk in dezelfde richting te krijgen.

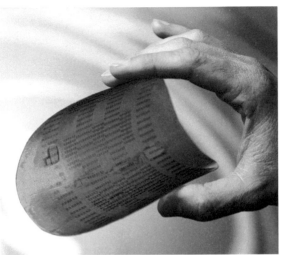

Polymeren maken
flexibele elektronica en
beeldschermen mogelijk

zoals hout, papier en zijde vanwege deze eigenschappen.

Recenter is het gebruik en de productie van polymeren die nog niet in de natuur voorkwamen. De doorbraak kwam in 1907, toen de Belgisch-Amerikaanse chemicus Leo Baekeland de reactie tussen phenol en formaldehyde zo wist te controleren dat er een polymeer ontstond: bakeliet. De eigenschappen van het materiaal, hard en isolerend, waren in die tijd revolutionair. Het vond snel toepassingen in telefoons, radio's en isolatoren.

Vooral de mogelijkheid om goedkoop isolatoren te produceren opende nieuwe perspectieven voor elektronische toepassingen, waardoor deze uitvinding aan de wieg van ons digitale tijdperk staat. De chemicus bleek een slimme zakenman, hij vroeg patent aan op bakeliet en verdiende er miljoenen aan.

Volgens de definitie is bakeliet echter geen plastic: het is breekbaar en moet gemaakt worden in de vorm die het uiteindelijk moet krijgen. Dergelijke 'thermohardende kunststoffen' worden nog steeds gebruikt, maar voor veel toepassingen zijn ze in de loop der jaren vervangen door echte plastics, zoals polyethyleen, die gesmolten en in elke gewenste vorm kunnen worden gegoten. Pas met deze 'thermoplastische kunststoffen' is het mogelijk het materiaal echt naar je hand te zetten.

De eigenschappen van deze plastics hangen sterk van de polymeerlengte en vertakkingsgraad af. Polyethyleen met zeer lange polymeerketens is hard en stug en wordt verwerkt in speelgoed, elektriciteitsleidingen en zelfs in kogelvrije vesten. Polyethyleen met korte ketens is juist zacht en wordt gebruikt om plastic tasjes te maken. Sinds de tweede helft van de twintigste eeuw is het mogelijk de polymeerlengte te sturen. Zo kunnen dus meerdere materialen uit dezelfde grondstof worden gemaakt.

Van polymeren worden ook verschillende soorten vezels vervaardigd. Het bekendste voorbeeld is zonder twijfel nylon, dat wordt verwerkt tot de gelijknamige kousen, touw en vloerbedekkingen. Nylon heeft zijn sterkte te danken aan aantrekkende interacties tussen verschillende polymeerketens, een soort moleculair klittenband dat de ketens bij elkaar houdt. Hetzelfde gebeurt in supersterke vezels, die bijvoorbeeld worden verwerkt in kogelvrije vesten.

Het onderzoek naar polymeren concentreert zich tegenwoordig vooral op 'slimme materialen', die kunnen reageren op externe invloeden zoals licht en warmte. Zo zijn er stroomgeleidende polymeren die licht geven als er een spanningsveld wordt aangebracht. Van deze polymeren worden zogenoemde oled's gemaakt; superscherpe platte displays die mogelijk de huidige lcd-schermen gaan vervangen.

Deze techniek wordt omgekeerd toegepast in een zonnecel. Er wordt dan stroom opgewekt door licht op het polymeer te schijnen. Op polymeer gebaseerde zonnecellen kunnen in theorie een veel hogere efficiëntie bereiken in het omzetten van licht in elektriciteit dan de huidige cellen van silicium of andere harde materialen. De grootste uitdaging is verlenging van de levensduur van polymeer-zonnecellen; die is nu nog aanmerkelijk korter dan van silicium.

Zelfherstellende materialen zijn een andere belangrijke nieuwe ontwikkeling in de polymeertechnologie. Dit houdt in dat een materiaal zichzelf kan herstellen na beschadiging door een invloed van buitenaf zoals licht of warmte. Zou het niet mooi zijn als een kras in autolak zichzelf repareert als de auto in de zon wordt geparkeerd of even met de föhn behandeld?

Ook voor deze toepassingen zijn polymeren de sleutel. Door de sterke chemische binding in traditionele polymeren te vervangen door bindingen die gemakkelijk breken en opnieuw vormen, net als lego, kan het materiaal zich aanpassen aan omstandigheden. Bij lichte verwarming smelt het materiaal, waardoor het zich opnieuw kan vormen en krassen dus letterlijk wegsmelten.

Het is duidelijk dat plastic als product niet op zichzelf staat. Het is het begin van een reeks materialen die steeds geavanceerder wordt. Met voldoende onderzoeks-inspanning vallen in toekomst materialen met vrijwel elke gewenste eigenschap te maken. Een ontwikkeling die Baekeland een eeuw geleden niet had kunnen vermoeden toen hij voor het eerst 'plastic' maakte.

Uitvinder Leo Baekeland van de eerste kunstmatige polymeer in 1907, het harde en duurzame bakeliet, waarmee hij fortuin maakte

Op internet is een virtueel bakelietmuseum te vinden (http://juliensart.be/bakeliet). Verder geldt plastic als zo weinig sexy dat er geen op het grote publiek gerichte boeken of tentoonstellingen van bestaan, op een enkele vitrine in designmusea na (bijvoorbeeld het Techniek Museum in Delft en Boijmans van Beuningen in Rotterdam).

PERIODIEK SYSTEEM

21

Chemische elementen
hebben verwante eigen-
schappen, die inzichtelijk
worden door ze in een
tabel te plaatsen

Twee monsters uit de
elementencollectie
van de firma Element
Displays

De letters die de materie vormen

MISCHA BONN

L OOD BLIJKT EIGENLIJK NET GOUD. DE OORSPRONG VAN DE SCHEIKUNDE
– de alchemie – schuilt in de droomwens om lood in goud te veranderen.
Achteraf blijkt die droom niet eens zo gek: de twee metalen staan slechts drie
plekjes van elkaar verwijderd in het periodiek systeem der elementen.

Over dat periodiek systeem schreef de Italiaanse chemicus en schrijver Primo
Levi: 'Je moet het stoffelijke begrijpen om het heelal en jezelf te kunnen begrijpen;
het periodiek systeem van Mendelejev is daarom poëzie, verhevener en grootser dan
alle gedichten die we op het lyceum hebben doorgeworsteld: als je goed leest, rijmt
het zelfs!'

Het periodiek systeem is een tabel die alle verschillende elementen (atomen)
bevat. Letterlijk alle materie is met het honderdtal elementen te bouwen, zoals
je woorden maakt met de letters van het alfabet. Het periodiek systeem is het
alfabet van het universum. De aarde kent ruwweg twintig miljoen verschillende
moleculen.

Terwijl 'hottentottentententententoonstelling' met 33 letters een erg lang woord
is, bestaan de meeste moleculen uit veel meer atomen. Het hemoglobinemolecuul
bijvoorbeeld, dat zuurstof door het lichaam transporteert, bestaat uit koolstof
(symbool: C), waterstof (H), stikstof (N), zuurstof (O), zwavel (S) en ijzer (Fe), in de
verhouding: $C_{2952}H_{4664}N_{812}O_{832}S_8Fe_4$, dus totaal 9.272 atomen.

Eeuwenlang dacht de mensheid dat alles was opgebouwd uit vijf elementen:

→ De eerste Nobelprijs
voor de scheikunde
ging in 1901 naar een
Nederlander, Jacobus van
't Hoff, die onderzoek
had gedaan naar de drie-
dimensionale structuur
van moleculen. Voorheen
werden moleculen in het
platte vlak getekend.
Een methaanmolecuul,
bijvoorbeeld, bestaat uit
een koolstofatoom in het
midden en vier water-
stofatomen eromheen,
die allevier positief
geladen zijn en daarom
zo ver mogelijk van
elkaar af willen staan.
Vandaar de vorm van
een tetraëder.

Methaanmolecuul

water, lucht, vuur, aarde en ether, zoals in de oudheid bepaald door Aristoteles. Dat duurde tot de achttiende eeuw, toen de Fransman Antoine Lavoisier water wist te maken uit waterstof en zuurstof, en ook water splitste in diezelfde twee elementen. Hij liet zien dat waterstof en zuurstof echte, ondeelbare elementen zijn. Lavoisier deed de eerste kwantitatieve chemische experimenten: hij bewees dat de massa van zuurstof en waterstof behouden blijven als ze water vormen. Hij ontdekte, kortom, dat water H_2O is.

Verder liet hij zien dat ook het tweede Griekse element, lucht, geen echt element is, maar uit zuurstof en stikstof bestaat. Met de analyse van het Griekse element 'vuur' had Lavoisier meer moeite. Hij concludeerde uiteindelijk dat vuur moest bestaan uit de 'elementen' licht en warmte. Tegenwoordig staat vast dat een vlam bestaat uit hete moleculen en atomen die licht uitzenden. Ondanks die misser hebben Lavoisier en zijn tijdgenoten met hun experimenten het bestaan van elementen bewezen.

Het was destijds al duidelijk dat sommige van die elementen veel op elkaar lijken, maar hoe en waarom was niet duidelijk. Het antwoord op die vragen kwam in de nacht van 17 februari 1869, toen de Russische scheikundige Dmitri Mendelejev de oplossing droomde. Hij rangschikte de elementen in een tabel. Dat lukte hem wonderbaarlijk goed. Het periodiek systeem der elementen, dat de wand van ieder scheikundelokaal vandaag de dag siert, was geboren.

De ordening van de elementen zoals voorgesteld door Mendelejev berust erop dat hij elementen met oplopende massa naast elkaar zette. Op bepaalde plaatsen kapte hij de regel af om op de volgende regel verder te gaan. Elementen met dezelfde eigenschappen kwamen daardoor in een kolom pal onder elkaar terecht ('groepen'). Deze periodiciteit maakt de ordening van Mendelejev zo geniaal. Het element silicium (Si) staat bijvoorbeeld pal onder koolstof (C); deze twee elementen hebben veel gemeen en staan daarom in dezelfde groep in het periodiek systeem.

Mendelejevs ordening was niet alleen beschrijvend, maar ook voorspellend. Aan de hand van het periodiek systeem is te voorspellen of, en zo ja hoe, bepaalde elementen met elkaar zullen reageren.

Net als letters in woorden zijn ook atomen niet in elke willekeurige volgorde aan elkaar te plakken. Silicium en koolstof willen bijvoorbeeld graag vier bindingen met andere elementen aangaan; stikstof en fosfor in de groep ernaast het liefst drie.

Zuurstof in de groep daar weer naast het liefst twee, vandaar dat het twee waterstof-atomen aan zich bindt om H_2O te vormen.

Aan de hand van die simpele regels zijn eindeloos veel nieuwe moleculen te maken, en dat is wat in vele onderzoeksgroepen op de wereld ook al jarenlang gebeurt. Zo bouwden chemici in 1985 een 'voetbal' van zestig koolstofatomen (ongeveer één nanometer groot).

De systematiek van het periodiek systeem is zo dwingend, dat Mendelejev een plaatsje vrijhield voor onder meer de elementen gallium en germanium, die toen nog niet ontdekt waren. Andere elementen die oorspronkelijk witte vlekken waren in het periodiek systeem, komen niet van nature op aarde voor, omdat ze spontaan uit elkaar vallen. Maar het is scheikundigen in de loop der jaren wel gelukt zo'n twintigtal kort levende elementen te produceren. Technetium (naar het Griekse woord voor kunstmatig) was het eerste en later kreeg een ander de toepasselijke naam mendelevium.

Hoe intuïtief van karakter Mendelejevs periodiek systeem was, mag blijken uit het feit dat het nog zo'n vijftig jaar duurde voordat zijn ordening volledig kon worden verklaard. Het periodiek systeem volgt eenvoudig en logisch uit de opbouw van atomen. De elementen verschillen in de hoeveelheid van drie bouwstenen waaruit ze zijn opgebouwd: neutronen, protonen en elektronen.

De atoomkern bestaat uit neutronen en positieve protonen. Elektronen zijn negatief geladen, en draaien vliegensvlug om de positieve kern. De kwantumme-chanica dicteert echter dat de elektronen maar een beperkt aantal banen kunnen innemen, de zogenoemde schillen om de kern. Atomen met dezelfde hoeveelheid elektronen in de buitenste schil hebben dezelfde chemische eigenschappen en verschijnen in het periodiek systeem onder elkaar, in dezelfde groep. Mendelejev rangschikte zonder het te weten de elementen op dit criterium. Zijn droom was dus werkelijk visionair.

En goud maken uit lood? Dat is ondertussen ook gelukt. Met dezelfde deel-tjesversnellers als waarmee technetium is gemaakt. Dat kost weliswaar meer dan het oplevert in waarde van het goud, maar is een onbetaalbaar wetenschappelijk kunststuk.

Een interactieve versie van het periodiek systeem is te vinden op de website van Michael Dayah (www.dayah.com).

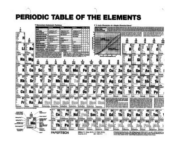

Pagina uit een handboek voor chemici met het periodiek systeem der elementen

→ Chemie is de korte versie van alchemie, dat afkomstig is uit het Arabisch: al-khimia. Maar 'khimia' is op zijn beurt een verbastering van het Griekse 'chumeia', dat 'de kunst van het samenvoegen' betekent. Scheikunde begon zijn leven dus als samenvoeg-kunde.

PAVLOVREACTIE

22

Zenuwreacties
zijn te trainen met
externe prikkels,
maar afleren kan
ook

Iedereen kwijlt na de juiste bel

KARLIJN VAN AERDE

→ Ivan Pavlov en John Watson gelden als vertegenwoordigers van het behaviorisme, een tak van de psychologie die de nadruk legt op uiterlijk waarneembare gevolgen van psychische processen. De stroming was een reactie op stromingen die zich op subjectieve verschijnselen, zoals emoties richtten, en waarvan Sigmund Freud een belangrijke grondlegger was. Modern psychologisch onderzoek houdt zich voor een belangrijk deel met cognitie bezig en verricht subtielere experimenten dan Pavlov en Watson.

DE RUSSISCHE FYSIOLOOG IVAN PAVLOV IS WERELDBEROEMD geworden dankzij zijn honden. Voor hij ze te eten gaf, liet hij een belletje rinkelen. Nadat hij dit een paar keer had herhaald, begonnen de honden speeksel te produceren zodra ze het belletje hoorden. De beesten waren zo geconditioneerd dat zij het belletje associeerden met eten. Door nauwkeurig de relatie tussen prikkel en respons te meten, bewees het experiment op een objectieve manier dat het mogelijk is iets onbewust aan te leren.

Ook mensen laten voortdurend pavlovreacties zien. Wie een tijdje niet gegeten heeft, loopt het water in de mond bij het zien van plaatjes in een kookboek. Maar ook lichte fobieën voor slangen en spinnen berusten op mechanismen die met de pavlovreactie samenhangen.

Het gaat hier niet om bewust aangeleerde associaties, maar om associaties die de hersenen zich 'op eigen houtje' aanleren. Mensen en dieren, of liever hun hersenen, zijn daar extreem goed in. Soms is één sessie al genoeg om tien jaar geen mosselen meer te willen eten. 'Mosselen = ziek', zo associëren de hersenen dan. Het leggen van deze associaties is zo'n belangrijke basisvoorwaarde om te overleven, dat zelfs de piepkleine wormpjes C.elegans, met maar 302 zenuwcellen een favoriet proefdier, kunnen associëren.

Associaties geven de kans om te anticiperen. Zo zijn mensen geconditioneerd om in het donker, als ze het gevaar slecht kunnen zien aankomen, extra alert te zijn.

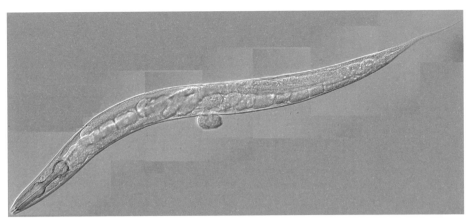

Zelfs het piepkleine wormpje C.elegans is in staat tot associëren

Dat ze daardoor ook binnenshuis in het donker overal gevaar denken te zien, moeten ze op de koop toenemen.

Het onderzoek van Pavlov was zo revolutionair, omdat het zich beperkte tot meetbare parameters, zoals de hoeveelheid geproduceerd speeksel, de duur van het 'aanleren' en het tijdsinterval tussen bel en eten. Die werkwijze week sterk af van de onderzoeksmethoden die aan het eind van de negentiende eeuw gangbaar waren onder psychologen en filosofen. Die disciplines, die nog sterk verwant waren, vroegen mensen simpelweg naar hun associaties.

De methode van Pavlov bood de kans te onderzoeken welke prikkels een dier onderscheidt. Zo werd bewezen dat honden het verschil tussen grijs en zwart kunnen zien door ze te voeren na het zien van een zwart vierkant. In eerste instantie riep ook een grijs vierkant een speekselreactie op. Maar als het grijze vierkant niet werd gevolgd door voedsel, leerde de hond de twee prikkels te onderscheiden.

Deze manier van onderzoeken inspireerde wetenschappers tot het ontwikkelen van de meest ingenieuze proefopstellingen waarmee leren en geheugen, twee nauw samenhangende hersenfuncties, tegenwoordig onderzocht worden.

Zo deed de Amerikaanse psycholoog John Watson in 1920 een experiment met een naïef mens: de elf maanden oude baby Albert. Watson toonde Albert een witte laboratoriumrat, die geen enkele angst opriep bij de baby. Vervolgens koppelde hij het aanraken van de rat met een hard geluid, waar de baby zichtbaar van schrok. Al gauw zorgde alleen het zien van de rat ervoor dat Albert zo snel mogelijk probeerde weg te kruipen. Het experiment toonde aan dat niet alleen een autonome reflex als speekselproductie te conditioneren is, maar dat ook emoties een reflex kunnen zijn.

Associaties worden in de hersenen opgeslagen door verbindingen tussen zenuwcellen te leggen en te versterken. De duizenden zenuwcellen, waaruit de hersenen zijn opgebouwd, zijn heel gevoelig voor associaties. Zodra een zenuwcel een prikkel genereert, wordt alle input – groot en klein – die kort daarvoor bij de zenuwcel binnenkwam, versterkt.

Zo kan het in het voorbeeld van Pavlov dus gebeuren dat de input van de bel in eerste instantie geen reactie opwekt in de zenuwcel die de speekselreflex aanstuurt. Maar na een aantal sessies waarbij eten de zenuwcel activeert en de input van de bel elke keer wordt versterkt, omdat die kort voor het eten klinkt, is de input van de bel zo sterk geworden dat die de zenuwcel ook kan activeren zonder eten in de buurt.

Hoewel elke zenuwcel met tienduizenden andere zenuwcellen in contact staat, is het niet zo dat alle verbindingen in de hersenen even snel gelegd worden. Evolutie speelt daarbij een belangrijke rol. Zo kan het in een gebied met giftige slangen heel voordelig zijn, en zelfs van levensbelang, om voor die beesten bang te zijn. Natuurlijke selectie bevordert door de jaren een angst voor slangen.

Maar om te overleven moeten de hersenen ook flexibel zijn. Wanneer de omstandigheden veranderen, moeten zij zich daaraan kunnen aanpassen. Bij mensen met schizofrenie ontbreekt die flexibiliteit deels. Zij kunnen een associatie wel makkelijk aanleren maar het is voor hen heel lastig om die weer kwijt te raken als de omgeving die niet (meer) bevestigt.

Een gezond brein kan associaties wel snel afleren. Maar dat is niet voor iedere associatie even makkelijk, met name emotie-associaties zijn moeilijk kwijt te raken. Zo kun je rustig honderden onschuldige spinnen hebben gezien in je leven en er desondanks bang voor blijven. Alleen met speciale therapieën zijn die associaties onder controle te krijgen. De prikkel (een spin) wordt dan consequent aangeboden in een veilige omgeving, een situatie die de angstreflex onderdrukt.

Met al deze kennis valt het principe van de pavlovreactie toe te passen om gewenst gedrag te stimuleren en ongewenst gedrag af te leren. Eén bedorven schelpdier bij elke sigaret, en je bent zo van het roken af.

Het werk van Pavlov vormt een belangrijke inspiratiebron voor *Brave new world* van Aldous Huxley, de belangrijkste dystopische roman van de twintigste eeuw. Pavlovs huis in Sint Petersburg is voor het publiek toegankelijk als museum.

MICRO-ORGANISMEN

23

Bacteriën, virussen
en prionen kunnen de
mens ernstig plagen,
maar hebben hem soms
ook nodig

Tuberculosebacterie

Det   WD   Exp
SE   7.4   0   jhc

Bestaan op de grens van leven

ERIK DANEN

→ Nederlands bekendste microbioloog is Martinus Beijerinck. In 1885 richtte hij bij de Koninklijke Gist- en Spiritusfabriek in Delft een bacteriologisch laboratorium in, dat tegenwoordig als onderdeel van DSM onder meer onderzoek aan enzymen verricht. Beijerincks verdienste is dat hij bacteriën niet alleen als ziekteverwekkers bekeek, maar ook naar nuttige toepassingen zocht. Eveneens ontdekte hij dat de tabaksmozaïekziekte werd veroorzaakt door iets dat kleiner was dan een bacterie. Daaraan gaf hij de naam virus.

D E MENSHEID WORDT GETEISTERD DOOR VIRUSSEN EN BACTERIËN. De afgelopen eeuwen is er naarstig naar beschermingsstrategieën tegen deze bedreigingen gezocht, en gevonden. De zoektocht heeft de biologie belangrijke inzichten opgeleverd, maar ook nieuwe vragen over de grens tussen leven en dood.

De cel is de bouwsteen van het leven. Naast organismen die uit heel veel cellen bestaan, zoals de eik of de mens, zijn er naar schatting miljoenen soorten die slechts uit één cel bestaan: de 'micro-organismen'. Wie met een microscoop in een druppel regenwater kijkt, ziet ze zwemmen. Soms met een krans van trilhaartjes, zoals het pantoffeldiertje, soms als Barbapapa-achtige verschijningen die voortdurend van vorm veranderen, zoals de amoebe. De kleinste ééncelligen zijn de bacteriën. Ze zijn gemiddeld 0,001 millimeter groot.

Bacteriën zijn te vinden op de meest onwaarschijnlijke plekken. In kokend hete bronnen, op ijzige bergtoppen, op plaatsen zonder zuurstof, in de zee en de woestijn, en in het menselijk lichaam. Dat bevat tien keer zoveel bacteriën als menselijke cellen (1000 versus 100 biljoen). Verreweg de meeste van deze bacteriën helpen hun gastheer te overleven. Zo zijn ze essentieel bij de spijsvertering. Niet voor niets zijn flesjes bacteriën tegenwoordig in de supermarkt te koop voor 'een goede darmflora'.

De bacteriën in de darmen hebben het immuunsysteem zodanig opgevoed dat ze met rust worden gelaten, terwijl andere soorten als indringers herkend worden.

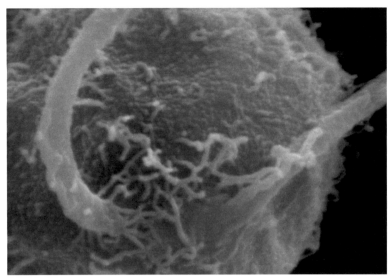

Groene alg

Helaas overwint het immuunsysteem niet altijd. Voor die gevallen zijn er antibiotica: chemische stoffen, zoals penicilline, die bacteriën remmen in hun groei of ze zelfs doden.

Bacteriën hebben echter in hun lange evolutie geleerd zich te wapenen tegen allerlei chemische gevaren, en een antibioticakuur selecteert bacteriën die tegen dat antibioticum het best gewapend zijn. Het wordt echt vervelend als door (slordig) gebruik van verschillende antibiotica multiresistentie ontstaat, dat wil zeggen immuniteit van de bacterie tegen een cocktail van antibiotica. Ziekenhuizen waar veel antibiotica worden gebruikt, zijn notoire haarden. Zo heeft een multiresistente streptokok die in 1961 in een Engels ziekenhuis werd ontdekt, inmiddels wereldwijd zo'n vijftig miljoen mensen gekoloniseerd.

Tegen infecties met virussen zijn antibiotica zinloos, want antibiotica zijn van invloed op actieve processen in de bacteriële cel, zoals de productie van eiwitten. Een virus is echter geen cel. Virussen zijn moleculaire parasieten, ze gebruiken hun gastheercellen om zich te vermenigvuldigen.

Nadat een virus een cel is binnengedrongen, valt zijn eiwitkapsel uit elkaar en komt zijn DNA vrij. De gastheercel, niet wetende dat het hier om een indringer gaat, maakt er kopieën van en gebruikt het voor de productie van virale eiwitten. Nieuwe virussen worden geassembleerd, de gastheercel sterft en de virussen komen vrij om weer nieuwe cellen te infecteren. Soms wordt het virale erfelijke materiaal ook ingebouwd in het DNA van de gastheercel. Op die manier kan het herpesvirus zich permanent in het lichaam verschuilen, om onder invloed van hormonen af en toe als koortslip op te duiken.

Net als een bacterie worden virussen aan de lichaamsvreemde eiwitten herkend door immuuncellen. Het immuunsysteem valt te trainen om bij een bacteriële of virale infectie snel te reageren, door vaccinatie met geïnactiveerde bacteriële eiwitten (zoals het miltvuur- of anthraxvaccin waarmee Amerikaanse soldaten geïmmuniseerd worden), toxinen (zoals de tetanusinjectie) of virussen (zoals de poliovaccinatie of de griepprik). Helaas is men er nog altijd niet in geslaagd een effectief vaccin te ontwikkelen tegen sommige dodelijke virussen, zoals hiv en ebola.

Virussen kunnen door een hoge mutatiesnelheid voortdurend veranderen. Voor reeds bekende virussen moeten daarom constant nieuwe vaccins ontworpen worden. De Wereldgezondheidsorganisatie coördineert dan ook elk jaar weer de samenstelling van een nieuw vaccin tegen griep.

Van het verwante vogelgriepvirus bestaan varianten die ook mensen kunnen infecteren. In een horrorscenario leidt dit tot het mixen van het erfelijk materiaal van het vogelgriepvirus en het mensengriepvirus, waaruit een variant ontstaat die tussen mensen overdraagbaar is en waartegen mensen geen resistentie hebben: een ramp op wereldschaal.

Ondanks de relatieve eenvoud van een virus in vergelijking met een cel is zelfs het simpelste virus nog uitermate complex vergeleken met enkele meer recent ontdekte 'parasieten'. Deze kunnen bestaan uit niet meer dan een enkel rna-molecuul of een enkel eiwit. Die laatste heten 'prionen'.

Een prion is een infectueus, verkeerd gevouwen eiwit. Hoewel onderzoekers nog niet goed begrijpen hoe, lijkt het de normaal voorkomende eiwitten te vervormen. Dit leidt uiteindelijk tot opeenhopingen van eiwitten in het centrale zenuwstelsel, die een verwoestende uitwerking hebben. In koeien kan dit leiden tot BSE of 'gekkekoeienziekte' en in mensen tot de verwante ziekte van Creutzfeldt-Jakob.

Zo leidt een inventarisatie van micro-organismen naar een schemerwereld op het grensvlak tussen levende en dode natuur. Als de definitie van leven aangepast wordt om ook niet-cellulaire systemen als virussen te omvatten, hoe zit het dan met prionen?

Jaap Goudsmit schreef het boek *Vrijend virus* over AIDS en andere virale aandoeningen.

→ Voordat men het bestaan van micro-organismen vermoedde, werden ze ingezet voor oorlogsvoering. In 1346 werden lijken van aan de pest overleden Tataren door hun medestrijders over de muren van Theodosia geslingerd om de burgers te infecteren. Deze gebeurtenis wordt vaak gezien als de aanzet tot de pestepidemie die in de daarop volgende decennia miljoenen doden veroorzaakte in Europa. In later eeuwen zijn onder andere de bacteriën die pokken, miltvuur en botulisme veroorzaken, ontwikkeld tot wapens. De meeste landen hebben inmiddels beloofd dergelijke wapens niet te zullen maken of gebruiken.

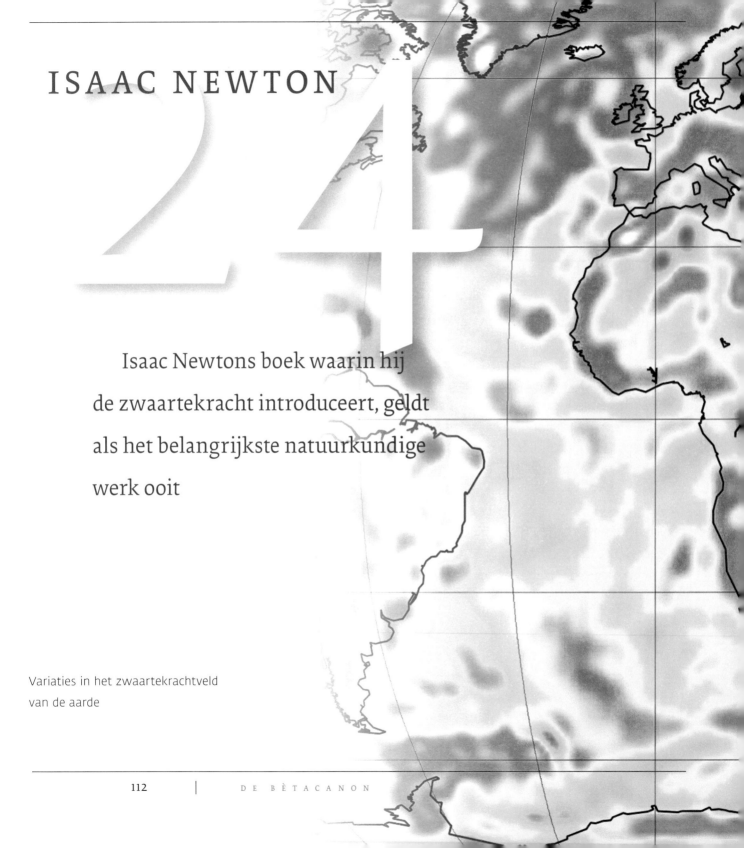

ISAAC NEWTON

Isaac Newtons boek waarin hij
de zwaartekracht introduceert, geldt
als het belangrijkste natuurkundige
werk ooit

Variaties in het zwaartekrachtveld
van de aarde

Vader van de zwaartekracht

DAVID BANEKE

Isaac Newton

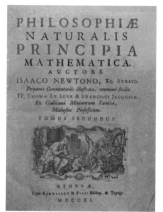

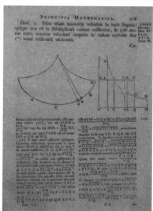

Pagina's uit de *Philosophiae Naturalis Principia Mathematica*

Vraag een willekeurige voorbijganger wie de grootste natuurkundige is, en de kans is groot dat het antwoord 'Einstein' is. Maar had je dezelfde vraag aan Albert Einstein gesteld, dan had hij vermoedelijk 'Isaac Newton' gezegd. Zelf zei Newton: 'Als ik verder heb gekeken dan een ander, dan komt dat alleen omdat ik op de schouders van reuzen kon staan.'

Kennis moet aan bepaalde voorwaarden voldoen om 'wetenschap' te mogen heten. De opvattingen daarover waren niet altijd hetzelfde. Een middeleeuwer zou niet alleen niets van moderne natuurkunde begrijpen, hij zou die niet eens als wetenschap herkennen.

De basisregels voor de moderne wetenschap zijn voor een belangrijk deel ontstaan in de zeventiende eeuw, tijdens de 'wetenschappelijke revolutie'. Mensen als Galileo Galilei, René Descartes en Christiaan Huygens gingen op zoek naar wiskundige natuurwetten, die zonder uitzondering voor de hele natuur moesten gelden. Ze wilden de natuur beschrijven als één groot systeem, waarin alle gebeurtenissen een aanwijsbare, mechanische oorzaak hebben.

Een van de belangrijkste onderwerpen van onderzoek was de beweging van planeten in het zonnestelsel. Nicolaus Copernicus had eerder al gesteld dat de aarde om de zon draaide, maar het was moeilijk dat te bewijzen. Een belangrijke doorbraak was het werk van Galilei, die rond 1609 als eerste astronomische waarnemingen deed met een telescoop, overigens een Nederlandse uitvinding. Galilei ontwikkelde een nieuwe visie op beweging. Daarop baseerde hij zijn valwet.

Ongeveer tegelijkertijd toonde Johannes Kepler aan dat alle planeten bewegen in ellipsvormige banen en dat er een vaste relatie is tussen de afstand tot de zon en de snelheid van een planeet. Maar het lukte niet om de vondsten van Kepler en Galilei te verenigen in één theorie. Newton kon dat wel.

Sir Isaac Newton was het grootste deel van zijn leven hoogleraar wiskunde in Cambridge. Hij onderzocht de wereld met alle middelen die een zeventiende-eeuwer ter beschikking stonden: wiskunde, alchemie, theologie en 'experimentele natuurfilosofie' (zeg maar: natuurkunde). Zijn theologische werk hield hij geheim, want zijn ideeën waren nogal ketters. Ook over alchemie heeft hij nooit gepubliceerd. Toen zijn alchemistische werk in de negentiende eeuw werd herontdekt, veroorzaakte het een schok: dat was toch geen fatsoenlijke wetenschap! Maar voor Newton was het een van de vele manieren om de wereld te leren begrijpen.

Newton was diep onder de indruk van het werk van zijn voorgangers, maar hij dacht het wél beter te weten. Hij formuleerde ingrijpende, nieuwe theorieën over de relatie tussen kracht, massa en beweging (mechanica) en over lichtbreking en kleuren (optica). Ook ontwikkelde hij een nieuwe tak van wiskunde, de differentiaal- en integraalrekening. Daarnaast was hij een uitstekend experimentator. Maar zijn belangrijkste werk is zonder twijfel de theorie van de universele zwaartekracht.

Aan het einde van zijn leven vertelde Newton dat hij zijn theorie bedacht toen hij een appel van een boom zag vallen. Deze anekdote is wereldberoemd geworden, maar de theorie is veel te ingewikkeld voor één zonnige middag. Newton heeft er jarenlang intensief aan gewerkt. Vaak werd hij zo gegrepen door zijn werk dat hij letterlijk vergat te eten en te slapen. Hij hield er ook niet van om zijn werk te publiceren. Dat leidde soms tot heftige controverses over wie een theorie als eerste had bedacht. Newton kon dan erg hard en ontactisch zijn.

Dat hij zijn theorie van de zwaartekracht wel publiceerde, is te danken aan de astronoom Edmund Halley. Die vermoedde dat de ellipsbanen van de planeten konden worden verklaard doordat de zon ze aantrok met een kracht die afnam met het kwadraat van de afstand (op twee keer de afstand is de kracht vier keer zo klein). Het lukte Halley echter niet dit wiskundig te bewijzen. Hij vroeg Newton om hulp. Die gaf hem meer antwoord dan hij ooit kon verwachten.

In 1687 verscheen *Philosophiae Naturalis Principia Mathematica* (Wiskundige grondslagen van de natuurfilosofie). Daarin verklaarde Newton niet alleen de wetten van Kepler, maar beargumenteerde hij ook dat de kracht die de planeten naar de zon trekt, dezelfde is als de aardse zwaartekracht.

Volgens Newton was de zwaartekracht universeel: alle materie trekt elkaar aan. De kracht is gerelateerd aan het kwadraat van de afstand en aan de massa. Hoe zwaarder een object, hoe groter zijn aantrekkingskracht. Daarom voelen mensen de zwaartekracht van de aarde wel en van een appel niet.

Dat de maan niet als een appel op de aarde valt, komt door zijn snelheid. Daardoor blijft hij om de aarde heen draaien. Andersom verklaart de aantrekkingskracht van de maan op het aardse zeewater de getijden. Met een enorme wiskundige krachttoer wist Newton bovendien de baan van kometen te berekenen.

Wetenschappers houden ervan als iemand met weinig uitgangspunten veel kan verklaren. Newton kon dat als geen ander. Zijn zwaartekracht was een schoolvoorbeeld van een universele natuurwet. De aanvankelijke kritiek dat hij nergens uitlegde hoe de zwaartekracht mechanisch werkte, verstomde snel. Natuurkunde was definitief een wiskundige wetenschap geworden, waarin speculaties over onbewijsbare oorzaken met wantrouwen worden bekeken. Newtons werk werd het ultieme voorbeeld van hoe wetenschap te bedrijven.

Het oeuvre van Sir Isaac is inmiddels ruim drie eeuwen oud, maar het is nog steeds belangrijk om te kennen. Niet alleen vanwege de inhoud van zijn theorieën, maar ook om te begrijpen waarom wetenschappers doen wat ze doen. Newton is een van de reuzen op wier schouders hedendaagse wetenschappers staan.

Newtons boek over de zwaartekracht is samen met werk van Copernicus, Galilei, Kepler en Einstein heruitgegeven in *On the shoulders of giants*, met inleidingen door Stephen Hawking. Een recent Nederlandstalig boek is *Zwaartekracht* van David Darling.

→ De Nederlander Christiaan Huygens, bekend van het slingeruurwerk en het 'ontdekken' van de ringen van Saturnus, gold in zijn tijd als de enige die zich als wiskundige met Newton kon meten. Zijn werk was een belangrijke inspiratie voor de veertien jaar jongere Newton. De twee wetenschappelijke duizendpoten stonden tegenover elkaar in hun opvatting over licht: Huygens dacht dat het een golfverschijnsel was, Newton hield het op deeltjes. Volgens de moderne kwantummechanica hadden ze allebei gelijk.

LEVENSDUUR

25

Kleine dieren leven
doorgaans korter dan
grote, maar ten slotte gaat
elk organisme ten onder,
vooral door slijtage in de
cellen

Apparatuur uit ongeveer 1940 om het kwikgehalte
van lucht te meten, een belangrijke bedreiging voor
de gezondheid van arbeiders

De dood als gemeenplaats van het leven

SIMON VERHULST

→ De gemiddelde levens-verwachting van de mens is de afgelopen twintig eeuwen sterk gestegen, van 20 à 30 jaar in de Romeinse tijd tot 67 nu. Dit is het wereldgemiddelde. Er zijn tussen landen nog altijd grote verschillen. In veel geïndustrialiseerde landen halen mensen met gemak de 75, terwijl in Afrika onder de Sahara 50 al een hele leeftijd is.

D E DOOD IS NIET ALLEEN EEN VAN DE WEINIGE ZEKERHEDEN DIE HET leven te bieden heeft, maar ook een van de weinige dingen die al het leven gemeen heeft.

Hoe lang het duurt tot de dood komt, verschilt enorm tussen soorten. Sommige zijn heel snel klaar, zoals de fruitvlieg en het wormpje C.elegans, die vanwege hun korte levensduur van enkele weken veelvuldig voor genetisch onderzoek gebruikt worden. Maar er zijn ook ongewervelden die het langer uithouden. Sommige termieten kunnen bijvoorbeeld wel de vijftien jaar halen en er zijn schelpdieren die meer dan tweehonderd jaar leven.

Bij de gewervelde dieren is er ook een duizelingwekkende variatie in levens-verwachting, met aan de ene kant een klein Australisch visje dat niet ouder wordt dan 59 dagen, en aan de andere kant schildpadden van meer dan 175 jaar. De absolute overlevingskampioenen zijn te vinden bij de bomen. Eiken van honderden jaren oud zijn indrukwekkend, maar niet heel bijzonder. De bristle cone pine kan wel 6000 jaar oud worden.

Wat bepaalt de levensverwachting bij de mens? Hoewel er genetische defecten bij mensen bekend zijn die de levensduur sterk kunnen verkorten, zijn andere factoren dan genen veel belangrijker: geslacht (mannen leven korter), sociaal-economische status, hygiënische omstandigheden, levensstijl en waarschijnlijk ook

de kwaliteit van de levensomstandigheden tijdens de vroege ontwikkeling.

Van honden, mensen en knaagdieren is bekend dat grote individuen gemiddeld minder oud worden dan kleine. Elke centimeter die het lichaam langer is, kost bijna een half jaar levensverwachting. Volwassen Japanse vrouwen zijn nu ongeveer 1.58 meter en leven duidelijk langer dan Nederlandse vrouwen die ongeveer 1.68 zijn. Japanse vrouwen die meer dan 100 jaar oud zijn hebben een lichaamslengte van slechts 1.38 m, en wegen 37 kg, maar die zijn misschien ook wel wat gekrompen. Waarom langere mensen gemiddeld minder lang leven, is overigens niet bekend.

Meestal wordt onder veroudering verstaan dat er een achteruitgang in functioneren is. Maar iets (of iemand) kan ook ouder worden zonder dat er sprake is van achteruitgang van het functioneren. Over het eerste deel van het leven is zelfs meestal sprake van een verbetering van het functioneren, net als een fles goede wijn. Veroudering als achteruitgang in het functioneren wordt door evolutie-biologen vaak in getallen uitgedrukt. De *fitness* – de overlevingskansen en voortplantingssucces – neemt af met toenemende leeftijd. Het lijf slijt.

In de biologie bestaat een algemene maar abstracte verklaring voor variatie in levensduur en veroudering. Elk organisme heeft in beperkte mate de beschikking over energie en voedingsstoffen. Vanuit evolutionair perspectief moeten die grondstoffen worden besteed aan reproductie nu, of aan overleven ten behoeve van reproductie in de toekomst. Volgens dit principe gaat de besteding van grondstoffen aan reproductie dus ten koste van de grondstoffen die besteed kunnen worden aan 'overleving'. Uit eeuwenoude registers van Engelse adellijke families is gebleken dat van alle vrouwen die de menopauze bereikten, de levensduur langer was naarmate zij minder kinderen hadden gebaard.

Volgens dit idee, waar veel bewijs voor is, gaat veroudering dus sneller naarmate er minder grondstoffen aan onderhoud worden besteed (en meer aan voortplanting). Wat de optimale verhouding is, hangt af van de kans dat individuen sterven door externe factoren waar ze zelf geen invloed op kunnen uitoefenen. Naarmate de dood door externe oorzaken vaker voorkomt, is het voordeliger om meer energie aan reproductie te spenderen.

Een groot dier, zoals een olifant, leeft gemiddeld langer dan een muis. Dit biedt wetenschappelijke detectives een aanknopingspunt om de oorzaak van veroudering te identificeren. De Duitse fysioloog Max Rubner vergeleek in 1908 het energieverbruik per gram lichaamsgewicht tussen verschillende (gedomesticeerde) zoogdier-soorten. Die verhouding was voor deze soorten ongeveer gelijk. De waarneming vormt de basis van de 'rate of living theory', waar ook het idee onder valt dat het aantal hartslagen per leven gelijk is voor kort en lang levende soorten.

Er bleken overigens vele uitzonderingen te bestaan. Het energieverbruik van de mens ligt bijvoorbeeld ruim drie keer hoger dan bij andere soorten. En terwijl vogels meer energie verbruiken dan zoogdieren met hetzelfde gewicht, leven ze langer.

De theorie over de fysiologische oorzaak van veroudering met de meeste aanhangers is wel sterk aan energieverbruik gerelateerd. De energievoorziening van cellen wordt verzorgd door mitochondriën, kleine energiecentrales waarvan cellen er talloze bezitten. In mitochondriën wordt brandstof met behulp van zuurstof verbrand. Hierbij ontstaan als onvermijdelijk bijproduct zuurstofatomen met een vrij elektron, zogenaamde 'vrije radicalen'. Deze atomen zijn door hun elektrische lading zeer reactief, de vrije radicalen beschadigen DNA, eiwitten en celmembranen door er mee te reageren.

De schade die deze vrije radicalen voortdurend aanrichten is volgens veel wetenschappers de oorzaak van veroudering. Hierdoor gaan cellen, en daarmee weefsels en organen, steeds slechter functioneren.

Om de dood uit te stellen proberen mensen de vrije radicalen daarom met antioxidanten weg te vangen. Maar uit onderzoek is gebleken dat dit niet werkt. De beste kandidaatbehandeling is een permanente reductie van de voedselopname met enkele tientallen procenten. Bij veel soorten verlengt dit de levensduur, maar of dat voor de mens ook geldt, is nog onbekend. Dit soort voedselrantsoenering gaat wel sterk ten koste van de leuke dingen in het leven, zoals seks en uiteraard lekker samen eten en drinken. Zelfs als het werkt, is het de vraag of het ook de moeite waard is.

Sinds 1972 biedt de firma Alcor in Californie 'life extension' aan, levensverlenging met behulp van diepvriestech-nieken. Daarbij worden bij hartdode patienten cruciale organen zoals de hersenen uitgenomen en bevroren in vloeibaar stikstof. De hoop is dat de medische technologie in de toekomst zo ver zal zijn gevorderd dat die de organen weer tot leven kan wekken. De organen worden een eeuw bewaard.

Het VPRO-programma *Tegenlicht* maakte in 2005 een onthullende documentaire over de miljardenindustrie die belooft ons te vrijwaren of genezen van de ziekte die ouderdom heet. Ed Regis schreef in *Great Mambo Chicken* over het bevriezen van overledenen, in de hoop ze ooit weer tot leven te wekken.

GPS

26

De plaats op aarde is te bepalen met de schaduw van een stok en een klok, maar pas dankzij satellietsignalen is er live op te reizen

Impressie van een Galileo-satelliet

Altijd en overal de weg meten

ERIC BERKERS

EN DOOR SATELLIETEN AANGESTUURD APPARAATJE IN DE AUTO VERTELT
wanneer je af moet slaan en dankzij Google Earth kan iedereen al weken
voor vertrek zijn vakantiechalet in de bergen bezoeken. Het zijn moderne
toepassingen van een oude wetenschap die ten grondslag ligt aan plaatsbepaling en
navigatie: de geodesie.

Eratosthenes wordt beschouwd als haar grondlegger. Hij werkte in Alexandrië,
waar hij omstreeks 200 voor Christus al vrij nauwkeurig de omvang van de aarde
bepaalde, aan de hand van de schaduw van de zon op hetzelfde tijdstip op twee
plaatsen op dezelfde meridiaan (Alexandrië en Syene). Waar in Syene de zon geen
schaduw gaf, viel het zonlicht in Alexandrië op de aarde onder een hoek van 7,2
graden. De omtrek van de aarde was dus 360/7,2 keer de afstand tussen de plaatsen.
Met hulp van mannen die met 'exact' gelijke passen liepen, bepaalde hij de afstand
tussen de plaatsen. De omtrek van de aarde moest dan 39.690 kilometer zijn. Die
afstand wijkt 320 kilometer af van de meest recente metingen.

Alexandrië was lange tijd het technologisch topinstituut van de westerse
wereld. Daar werden de sterrenhemel en het gebied rond de Middellandse Zee in
kaart gebracht. Sterrencatalogi en instrumenten om sterren 'te schieten' moesten
reizigers naar hun bestemming leiden. In de buurt van hun bestemming in ieder
geval. Vooral op open zee viel dat niet mee. Men miste namelijk een uurwerk dat op

→ Nederland is een inter-
nationale grootmacht als
het om geodesie gaat.
Een van de grootste
fabrikanten van navi-
gatieapparatuur is
Nederlands (TomTom),
net als een producent
van kaartgegevens
(Tele Atlas). Ook in het
Europese satellietsy-
steem Galileo, dat vanaf
2013 een concurrent
van GPS moet zijn, heeft
Nederland een aanzien-
lijke inbreng.

Gerardus Mercator en Abraham Ortelius waren twee Duitsers die in de lage landen van de zestiende eeuw naam maakten als cartograaf. Mercator is de bedenker van het woord 'atlas' en de naamgever van een methode om het bolvormige aardoppervlak zonder hoekvervormingen op een platte kaart te projecteren. Ortelius produceerde de eerste wereldatlas, de *Theatrum Orbis Terrarum.*

een deinend schip goed werkte en tijdsbepaling is nou eenmaal essentieel voor plaatsbepaling.

Voor het vaststellen van zijn lengtepositie moet een zeeman de tijd aan boord vergelijken met de tijd van zijn thuishaven. Zonder betrouwbaar uurwerk en zonder kaarten was het maar afwachten waar je uiteindelijk belandde. Goede zeekaarten waren schaars en een kostbaar bezit in een tijd dat de wereld werd ontdekt en verdeeld. De voc-schippers leenden de meest adequate kaarten en moesten die na voltooiing van de reis weer op het voc-kantoor inleveren. Bovendien hadden de kaartenmakers een zwijgplicht.

Geheimhouding kleefde aanvankelijk ook aan het Global Positioning System (GPS). Het Amerikaanse ministerie van Defensie ontwikkelde GPS na de Tweede Wereldoorlog. Inmiddels cirkelen 24 satellieten – de eerste werd in 1978 gelanceerd – in zes verschillende banen op ruim 20.000 kilometer om de aarde. Alle zenden signalen uit. Een gps-ontvanger legt de exacte positie (lengte, breedte, hoogte en het tijdstip) van vier van die satellieten vast. De ontvanger op aarde kan nu zijn eigen positie bepalen.

Totdat gps ook voor niet-militaire doeleinden beschikbaar kwam, waren afstandsmeting en plaatsbepaling omslachtige aangelegenheden. Dat ondervonden niet alleen zeelieden. Landmeters en cartografen maten tot ver in de twintigste eeuw langere afstanden indirect, namelijk door het bepalen van hoeken (driehoeksmeting of triangulatie).

Zo ook Cornelis Kraijenhoff. Aan deze alleskunner – hij was onder meer arts, waterbouwkundige, minister van oorlog en cartograaf – werd in 1798 opgedragen om een kaart van de nieuwe Bataafse Republiek te maken. Vanaf een hooggelegen punt in het landschap (meestal een kerktoren) keek hij door het oculair van een zogeheten repetitiecirkel naar kerktorens vele kilometers verderop om de hoek ertussen te meten. Na slechts één zijde van een driehoek (de basis) nauwkeurig te meten, kon hij met behulp van goniometrie (de stelling van Pythagoras en in dit geval vooral de sinusregel) de afstanden tussen honderden kerktorens verspreid over het hele land berekenen.

De driehoeksmetingen van Kraijenhoff leverden naast een nieuwe kaart het eerste dekkende driehoeksnet van Nederland op. Een uitstekend referentiestelsel ten behoeve van bijvoorbeeld het kadaster, (water)bouwkundige ingrepen en navigatie.

Het net sloot in het zuiden aan op het Franse en in het noordoosten op Pruisen. Het maakte daarmee deel uit van een internationaal referentiestelsel.

Ook in Frankrijk was kort daarvoor een omvangrijke driehoeksmeting uitgevoerd, met als doel, zoals Eratosthenes had gehad, de omtrek van de aarde te bepalen. Dit project leverde bovendien de meter op, die werd gedefinieerd als een tien miljoenste deel van een kwart van de meridiaan van Parijs. Maar met de toenmalige meetinstrumenten en technieken van plaatsbepaling kon de beoogde nauwkeurigheid niet worden gehaald. De meter is naar de aanvankelijke definitie dan ook 0,2 millimeter te kort en is hergedefinieerd als de afstand die het licht aflegt in een vacuüm in een 299.792.458ste seconde.

Satellieten vervingen de kerktorens en de atoomklok het slingeruurwerk. Zoals voor de ontdekkingsreizigers eeuwen geleden, is ook voor GPS tijdsvergelijking essentieel. De bestuurder van een auto, vliegtuig of mammoettanker heeft voor GPS-navigatie echter een veel nauwkeurigere tijdsaanduiding nodig. Daarom wordt tegenwoordig de uiterst regelmatige trilling van atomen gebruikt om de tijd te meten. De eerste atoomklok werd in 1958 gemaakt. Een kleine tien jaar later werd internationaal afgesproken dat een tijdseconde voortaan zou worden uitgedrukt in de frequentie van het atoom cesium.

Het met atoomklokken uitgeruste satellietstelsel vormt de moderne meetkundige infrastructuur waarop de plaatsbepaling op de aarde is gebaseerd. Het zorgde de afgelopen decennia voor een omwenteling in navigatie. Koppelingen met uitgebreide digitale kaarten maken de toepassingen legio en nog lang niet uitgeput. Maar ook deze revolutie kent haar slachtoffers. Zo reed een Duitse automobilist in de winter van 1998 de rivier de Havel in. Dat krijg je met een navigatiesysteem, gebaseerd op satellieten, atoomtijd en gekoppeld aan nauwkeurige digitale geografische informatie, waarin de vertrektijden van veerponten niet zijn verwerkt.

→ De Nederlanders Gemma Frisius en Willebrord Snellius hebben in de zestiende en begin zeventiende eeuw de landmeetkunde (internationaal) op een hoger plan getild. In de twintigste eeuw hebben vooral Felix Vening Meinesz en de zogenoemde 'Delftse school' Nederland op de internationale geodetische kaart gezet.

De maat van alle dingen van Ken Alder vertelt hoe twee geleerden in de beginjaren van de Franse Revolutie het land doorkruisten om de wereld op te meten. 'Een historische detective, een diep menselijk drama', schreef een recensent over het (non-fictie)boek. Hoe avontuurlijk geodesie in vorige eeuwen kon zijn, blijkt ook uit John Keay's *The great arc* over het opmeten van Brits India en het bepalen van de hoogte van het dak van de wereld. Aan het hoofd van die landmeetkundige expeditie stond George Everest.

GELD

Betalen met geld, het symbool van de waarde van diensten en goederen, is een vorm van alledaagse wiskunde

De wiskunde die van waarde is

JEANINE KIPPERS

→ De beroemdste Nederlandse econome-trist is Jan Tinbergen. Hij studeerde eerst wiskunde en natuurkunde in Leiden bij Paul Ehrenfest, voordat hij zich voor economie ging interes-seren. Dat leidde tot een sterk wiskundige kijk op het vakgebied. Voor Nederland bouwde hij het eerste macro-economische model dat de hele economie van het land omvatte. Hetzelfde zou hij later voor Groot-Brittannië en de Verenigde Staten doen. In 1969 was hij de eerste winnaar van de Nobelprijs voor de economie.

H ET HUIS AAN DE OVERKANT VAN DE STRAAT STAAT TE KOOP VOOR 369.000 euro. Met de tien procent kosten koper erbij (maal 1,1) is dat omgerekend (maal 2,2) bijna negen ton in guldens. Duur, zal menigeen zeggen. De peultjes uit Peru zijn te koop voor 75 eurocent in de supermarkt om de hoek. Best goedkoop voor een luxe groentesoort die van ver wordt ingevoerd.

Zo wordt de waarde van goederen en diensten uitgedrukt in geld. Het is een algemeen geaccepteerd ruil- en spaarmiddel. Dankzij geld kunnen vraag en aanbod elkaar op efficiënte wijze vinden. Geen wonder dat geld en economie sterk met elkaar geassocieerd worden.

Er is een enorme financiële wereld die zich constant bezighoudt met kwan-titatieve analyses van geld. Die wereld leunt sterk op de beschikbare kennis van wiskunde, statistiek en kansberekening. Een goed voorbeeld is de netto contante waarde, waarbij de waarde van een bedrag in de toekomst met de geldende rente wordt teruggerekend naar een bedrag nu.

De obligatiehandel baseert zich grotendeels op dat soort wiskundige bere-keningen. De prijs van opties wordt in de financiële markten al sinds jaar en dag vastgesteld met een wiskundig model van Black en Scholes. Deze formule gebruikt informatie over de optie, de koers van het onderliggende aandeel en de rente. Banken gebruiken weer andere modellen om het risico in te schatten dat een potentiële klant failliet gaat en zijn lening niet kan afbetalen. Deze informatie bepaalt mede de rente die de bank vraagt op die lening. Ook voor het voorspellen van aandelenkoersen zijn algoritmen bedacht.

Maar het zijn niet alleen de professionals in de financiële wereld die zich met wiskunde bezighouden. Geld brengt de wiskundige in iedereen naar boven. Dat blijkt wel uit de keuzes die mensen maken bij betalingen met contant geld. Alledaagse contante betalingen zijn namelijk niets anders dan het oplossen van een wiskundig optimalisatieprobleem: zoek de meest efficiënte betaling bij een bedrag.

Wie bijvoorbeeld 18,05 euro voor zijn boodschappen moet betalen en zijn portemonnee bevat één briefje van 50, twee briefjes van 10, een muntje van 5 cent, kan op drie manieren betalen:

A) 1 briefje van 50 (50 euro)

B) 2 briefjes van 10 (20 euro)

C) 2 briefjes van 10, 1 muntje van 5 cent (20,05)

Bij betaling A komen er briefjes ter waarde van dertig euro en flink wat muntjes terug als wisselgeld. Betaling B levert 1,95 aan wisselgeld op, minstens vijf muntjes. Door vijf cent bij te passen bij betaling C is het wisselgeld nog maar één munt van twee euro. Betaling C is dus het meest efficiënt, omdat daarmee het kleinste aantal biljetten en munten over de toonbank gaat: vier in totaal ten opzichte van acht en zeven bij betaling A en B.

Nederland kende tot 2002 de coupurereeks van de gulden, die was gebaseerd op kwarten. Nederlanders hadden het kwartje en de biljetten van 25 en 250 gulden. Maar de Europese bestuurders kozen ervoor de euro in een 1-2-5-reeks uit te brengen. De vraag of dit ook echt een efficiëntere reeks is dan de 1-2,5-5-reeks van de guldens herbergt een complex optimalisatieprobleem met meerdere criteria.

Overheden willen een efficiënt betalingsverkeer mogelijk maken. Aan de productie, distributie, verwerking en opslag van bankbiljetten en munten zijn immers kosten verbonden voor de centrale bank, overheid, banken en winkeliers.

Het moet met een coupurereeks mogelijk zijn om elk bedrag met weinig bankbiljetten en munten te betalen. Maar een coupurereeks die voor ieder mogelijk bedrag een aparte munt of biljet kent, is praktisch onhaalbaar, en zeker niet efficiënt. Ook moeten de coupures makkelijk rekenen. Daarmee valt bijvoorbeeld de reeks 1-3-9 af.

De 1-2-5-reeks combineert deze eisen behoorlijk goed en wordt wereldwijd het meest toegepast. Het is dus logisch dat de keuze daarop is gevallen voor de euro. Maar de guldenreeks voldoet even goed aan de criteria. Welke van de twee reeksen is nu eigenlijk efficiënter? In 2002 werd een antwoord op die vraag gezocht door met behulp van een algoritme voor beide reeksen de efficiënte betalingen te berekenen voor alle bedragen tussen 0,05 en 100 euro (220,35 gulden). Er bleken gemiddeld evenveel munten en biljetten over de toonbank te gaan voor euro- als voor guldenbetalingen. De euro is dus net zo efficiënt als de gulden, in theorie. Dat is overigens wel te danken aan het afschaffen van de muntjes van één en twee eurocent. Anders was de gulden efficiënter.

Vervolgens willen econometristen, die zich met kwantitatieve aspecten van de economie bezighouden, weten of mensen zich wel echt zo gedragen als de theorie voorspelt. Daartoe is in 2002 een steekproef van contante betalingen aan de kassa geobserveerd. Klanten werd ook vriendelijk gevraagd hun portemonnee-inhoud te laten zien. Vervolgens werd berekend wat, met de beschikbare biljetten en munten, de efficiëntste betaling geweest zou zijn. Bij 61 procent van de betalingen bleek dat de klant daadwerkelijk die efficiënte betaling had gedaan. Nederlanders doen dus eerder een efficiënte betaling dan niet-efficiënte betaling.

Dit voorbeeld van contante betalingen en de keuze voor coupurereeksen maakt duidelijk dat geld een veelheid aan wiskundige toepassingen kent waarmee iedereen gemerkt of ongemerkt in aanraking komt. Bij geld zou je net zo goed aan wiskunde kunnen denken als aan economie.

Economie is ook voor veel natuurwetenschappers, behalve misschien de gebruikte wiskunde, ver van hun bed. Voor beginners geeft *Economy for Dummies* van Sean Masaki Flynn een goede inleiding. De Nederlandse econoom Flip de Kam schreef een aantal economieboeken voor algemeen publiek. In de Rijksmunt in Utrecht kan het publiek zien hoe kleingeld werd en wordt gemaakt.

Soms belanden wiskundigen zelfs op geld, zoals Gauss op het Zwitserse briefje van tien

→ Voor de uitvinding van het biljet was het vervalsen van munten door stiekem goedkopere metalen dan goud en zilver toe te voegen, een lucratieve business. Muntmeesters moesten daarom een grote kennis hebben van metaalchemie. Isaac Newton bekleedde die functie enige jaren in Engeland en heeft dankzij zijn wetenschappelijke inzichten menige valsemunter aan de galg gebracht.

ALBERT EINSTEIN

28

Geen enkele bèta is
beroemder dan Albert
Einstein, maar hij
liet ook onopgeloste
problemen achter

Albert Einstein en Hendrik Lorentz

Man van ruimte en tijd

JEROEN VAN DONGEN

Albert Einstein in gezelschap van Pieter Zeeman en Paul Ehrenfest

ALBERT EINSTEIN IS DE ICOON VAN DE MODERNE WETENSCHAP. Iedereen herkent meteen zijn beeltenis met de warrige haren en zachte maar slimme ogen. Het bekende Amerikaanse *Time Magazine* verkoos hem zelfs tot 'persoon van de twintigste eeuw'. Die keuze stuitte nauwelijks op bezwaar: Einstein heeft niet alleen de natuurkunde op zijn kop gezet, maar speelde ook een prominente publieke rol, bijvoorbeeld als pacifist tijdens de Eerste Wereldoorlog en als tegenstander van de Amerikaanse communistenjacht in de jaren vijftig.

Einsteins genie is omgeven met mythes. Zo zou hij een slechte leerling zijn geweest. Dat is niet waar: hij haalde goede cijfers. Wel had hij een afkeer van autoriteit. Met tegenzin volgde hij de lessen op het strenge Luitpold Gymnasium in München. Einstein brak zijn opleiding aan deze school zelfs voortijdig af (maar haalde later in Zwitserland toch nog zijn diploma). Het is verleidelijk te denken dat de afkeer van autoriteit ook de rode draad is die zijn wetenschappelijke werk met zijn politieke stellingnames verbindt.

Einsteins naam is verbonden met veel theorieën, formules en filosofische standpunten, maar twee bijdragen springen er echt uit: het lichtkwantum en natuurlijk de relativiteitstheorie, waarvan hij in zijn wonderjaar 1905, een eerste versie publiceerde.

De gedachte dat licht in kleine pakketjes energie – 'kwanta' – uitgestraald

→ Van 1920 tot 1946 was Albert Einstein hoogleraar in Leiden, waar hij enkele keren per jaar college gaf, als de omstandigheden dat toelieten. Hij was goed bevriend met Hendrik Lorentz, die als eerste opperde dat de lichtsnelheid de hoogst mogelijke snelheid is en daarmee een belangrijke premisse voor de relativiteitstheorie schepte. In Leiden waren in die tijd ook twee andere natuurkundigen van internationale faam werkzaam, Pieter Zeeman en Paul Ehrenfest.

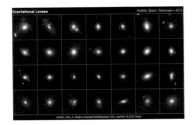

Verre sterrenstelsels, gefotografeerd met de Hubble ruimtetelescoop. De zogeheten Einsteinringen rond de centrale lichtbron ontstaan doordat de grote massa van het sterrenstelsel de omringende ruimte vervormt, waardoor die als een lens werkt voor licht van sterren op de achtergrond. Een bewijs voor de Algemene Relativiteitstheorie van Einstein.

wordt, vond hij zelf vooral 'zeer revolutionair'. Het duurde lang tot Einsteins collega's het idee van het lichtkwantum accepteerden. De relativiteitstheorie was minstens even controversieel, maar naar Einsteins eigen oordeel veel minder revolutionair. Hij zag dit juist als een vervolmaking van het werk van de Brit James Maxwell en de Nederlander Hendrik Lorentz.

Volgens de wetten van Maxwell plant licht zich altijd met een en dezelfde snelheid voort. Dit leek echter in tegenspraak met oude en vertrouwde wetten over beweging. Einstein nam in 1905 toch gewoon aan dat de lichtsnelheid altijd dezelfde is, ongeacht de snelheid van de bron die het licht uitzendt. Daarnaast stelde hij dat de snelheid van een laboratorium niet van belang is: ongeacht die snelheid zal de laborant altijd dezelfde natuurwetten vinden.

Hieruit leidde hij een verrassende conclusie af, de relativiteit van gelijktijdigheid: waarnemers verschillen van mening over het gelijktijdig zijn van twee gebeurtenissen als ze ten opzichte van elkaar bewegen. Dit idee zette de wetenschap op zijn kop. Belangrijke begrippen moesten geherdefinieerd worden. Zo volgde uit de relativiteitstheorie dat massa omgezet kan worden in energie: $E=mc^2$, een formule die inmiddels eveneens een icoon van de wetenschap is.

De 'speciale' relativiteitstheorie gaat alleen op voor waarnemers met constante snelheden, die geen zwaartekracht voelen. In 1907 zette Einstein de eerste stap naar een algemenere theorie die ook de zwaartekracht en de versnelling omvatte. Kort gezegd realiseerde hij zich dat het voor iemand die met zijn ogen dicht van het dak valt, niet uit te maken is of hij gewichtloos in de lege ruimte zweeft, of versneld wordt door de zwaartekracht (totdat hij de grond raakt natuurlijk). Jaren van hard werken volgden, want Einstein moest zich veel nieuwe wiskunde eigen maken.

In november van 1915, inmiddels gearriveerd op een zeer prestigieuze Berlijnse leerstoel, vond Einstein de definitieve vergelijkingen van de 'algemene' relativiteitstheorie. Daarin was de zwaartekracht niets anders dan een kromming in de ruimte en tijd. Voorheen werd de ruimte vooral gezien als een grote hal waarin een klok wegtikte; nu werden tijd en ruimte samen een soort beweeglijk rubber vlak dat wordt gekromd door de aanwezige massa. De theorie bewees direct haar kracht: Einstein rekende voorheen onverklaarbare afwijkingen in de planeetbaan van Mercurius voor. Dezelfde methoden geven tegenwoordig de precieze banen van gps-satellieten. Zonder relativiteit geen TomTom. En in de moderne beschrijving van het heelal is relativiteit evengoed onmisbaar. Zwarte gaten zijn bijvoorbeeld putten in het heelal waar de ruimte zo krom is dat zelfs licht niet kan ontsnappen.

In Berlijn begon Einstein zich meer en meer over politieke zaken uit te spreken: hij werd een tegenstander van de Eerste Wereldoorlog en ijverde voor internationale verzoening. Markant is dat de Britten – die ook tegen Duitsland hadden gevochten – in 1919 een tweede bevestiging van de relativiteitstheorie waarnamen: licht dat langs de zon scheert buigt af door de kromme ruimte om de zon. 'Revolution in science. New theory of the universe' kopte de *Times* in Londen, en Einstein werd wereldberoemd.

Beroemd zijn heeft ook nadelen: in Berlijn werd al in 1920 een concertgebouw gevuld met een antirelativistische manifestatie, ter behoud van de 'zuivere wetenschap' die door de joodse Einstein tot een warboel zou verworden. In 1933, na de machtsovername van Adolf Hitler, wilde Einstein na een werkbezoek aan de Verenigde Staten niet meer terugkeren naar Duitsland. Hij voelde zich er niet langer veilig. Zijn theorieën konden slechts met de grootste moeite worden gedoceerd. Einstein vond een nieuw thuis in het Amerikaanse universiteitsstadje Princeton.

Einstein heeft de moderne natuurkunde wel een probleem nagelaten: het kwantum en zijn theorie voor de zwaartekracht zijn met elkaar in tegenspraak. Dit probeerde hij al tijdens zijn leven op te lossen door het kwantum af te leiden uit nog verder veralgemeniseerde relativiteitstheorieën. Het thema behelst haast de helft van zijn oeuvre, maar het werd fronsend en later zelfs met enige gêne door vakgenoten bekeken.

De tegenspraak bleef echter. Nog steeds is het een van de meest complexe problemen van de natuurkunde. De heersende benaderingen, zoals in de snaartheorie, zijn tegengesteld aan die van Einstein. De theoretisch natuurkundigen van nu gaan vooral met het kwantum de zwaartekracht te lijf. Einstein wilde het probleem juist andersom aanpakken en daarom overheerste in 1955 bij zijn overlijden, naast groot ontzag voor zijn revolutionaire werk, een gevoel dat hij als wetenschapper te behoudend was geworden.

Er bestaan talloze biografieën van Einstein. *Subtle is the lord* van Abraham Pais geldt als een van de beste. Einstein zelf heeft ook een aantal boeken geschreven om zijn werk aan het grote publiek uit te leggen, die nog steeds leverbaar zijn, zoals *Mijn theorie*.

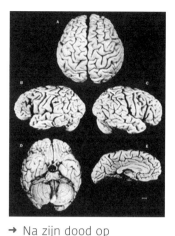

→ Na zijn dood op 76-jarige leeftijd in 1955 werden Einsteins hersenen onderzocht, maar ze leken in niets af te wijken van die van andere mensen. Ruim veertig jaar later, toen de kennis over de werking van de hersenen fors was toegenomen, belandden ze nog eens onder de microscoop. Het deel voor wiskundig denken, ruimtelijke herkenning en inzicht in bewegingen bleek vijftien procent breder te zijn dan normaal.

CATASTROFEN

De aarde maakte eerder een broeikasramp mee

De subtropische alg apectodinium augustum
kwam ooit op de Noordpool voor

Vlucht voor de krokodil

APPY SLUIJS

D E UITSTOOT VAN HET BROEIKASGAS KOOLSTOFDIOXIDE (CO_2) ZAL
tot een catastrofe leiden, stelt Al Gore in zijn film *An inconvenient truth*.
In de geschiedenis van de aarde hebben zulke rampen zich al eerder
voltrokken. Ontelbaar veel soorten stierven uit. Uit sommige van die gebeurtenissen valt te leren wat de toekomst de mens, waarschijnlijk, zal brengen.

Duw een pvc-buis met kracht de bodem van een vijver in. Hij is dan gevuld met
klei- en zandkorreltjes en resten van organisch materiaal die sinds het aanleggen
van de vijver zijn neergedwarreld. Op basis van de soorten stuifmeelkorrels in
de modderlaagjes kan een stuifmeeldeskundige, samen met een sediment-ouder-
domsdeskundige, per jaar bepalen welke planten naast de vijver stonden.

Met die boring kan de tuinmode van de afgelopen jaren worden gereconstrueerd. Sedimenten uit bijvoorbeeld de Atlantische Oceaan gaan veel verder terug. Zo
ver dat paleoklimatologen het klimaat van miljoenen jaren geleden kunnen bepalen.
Zij ontdekten dat er vijf perioden zijn geweest waarin soorten op grote schaal het
loodje legden: The Big Five.

De meest dramatische catastrofe voltrok zich ongeveer 250 miljoen jaar geleden
aan het einde van het tijdperk Perm, toen 80 tot 85 procent van alle soorten door
ingrijpende klimaatveranderingen uitstierf. Deze veranderingen waren waarschijnlijk het gevolg van hevige vulkaanuitbarstingen.

→ In 2003 en 2004
namen Nederlandse
wetenschappers deel
aan expedities naar de
Walvisrug en de Lomo-
nosovrug, onderzeese
bergketens in respectie-
velijk de zuidoostelijke
Atlantische Oceaan en
de Noordelijke IJszee. In
deze gebergten werden
honderden meters diepe
gaten geboord om uit de
boorkernen informatie
te halen over het klimaat
tijdens broeikascata-
strofen in het verleden.
Het bleek dat de oceanen
toen sterk verzuurden en
dat subtropische algen-
soorten opeens op de
Noordpool voorkwamen.

De habitat van de ijsbeer smelt langzaam weg

Een bekender voorbeeld is het uitsterven van de dinosaurussen. Dat gebeurde aan het einde van het tijdperk Krijt, ongeveer 65 miljoen jaar geleden, nadat een meteoriet zich in het Mexicaanse schiereiland Yucatán boorde. De meteoriet had een snelheid van 70 kilometer per seconde en een doorsnede van 10 kilometer, de afstand van Leiden tot Alphen aan den Rijn.

De energie die bij de inslag vrijkwam, veroorzaakte temperaturen van 400 graden, maar kort daarop koelde de aarde juist sterk af. De grote hoeveelheid stof die bij de inslag de atmosfeer in was geblazen, zorgde dat het zonlicht niet meer tot het aardoppervlak kon doordringen. Soorten die normaal gesproken in het noorden van de Atlantische Oceaan leefden, migreerden naar de huidige Middellandse Zee. Uit aardlagen die kort na de inslag zijn gevormd, is af te leiden dat er toen vele algensoorten zijn uitgestorven.

De laatste vijftien jaar is ontdekt dat zich in het geologische verleden verschillende broeikascatastrofen hebben voltrokken. Sterke variaties in de concentratie CO_2 in de atmosfeer waren hiervoor verantwoordelijk. Over de CO_2-concentratie in de atmosfeer gedurende de afgelopen miljoen jaar is informatie verkregen door metingen aan luchtbelletjes die ingesloten lagen in ijskappen. Gedurende de relatief warme perioden tussen ijstijden, zoals nu, was de CO_2-concentratie ongeveer 280 deeltjes per miljoen (ppm). Tijdens ijstijden was de CO_2-concentratie maar 180 ppm, wat voor een groot gedeelte de oorzaak was van de lage gemiddelde temperatuur op aarde.

In dit perspectief is de huidige CO_2-concentratie, die sinds de industriële revolutie van 280 tot nu al boven de 380 ppm is gestegen, dus uitzonderlijk hoog. Volgens het rapport van het Intergovernmental Panel on Climate Change stijgt de CO_2-concentratie, als we niets ondernemen, tot 1000 ppm in het jaar 2100. In de daaropvolgende eeuwen zal dat doorstijgen naar de 2000 ppm. Er zijn nog genoeg fossiele brandstoffen om die waarden te halen.

De geologie kan nog verder terug in de tijd kijken door fossielen die in de oceaanbodem worden gevonden, te analyseren. Daaruit blijkt dat er vijftig miljoen jaar geleden ook een concentratie van 2000 ppm was. Uit de fossielinhoud en chemische samenstelling van opgeboorde aardlagen is ook het klimaat uit die tijd te reconstrueren. De zeespiegel stond zo'n honderd meter hoger dan nu. Er was geen ijs op Groenland en Antarctica. In het Groenlandse moeras vluchtten de eerste paardachtigen voor de kaken van krokodillen en op Antarctica groeiden bomen. De temperatuur van de Noordelijke IJszee was vergelijkbaar met die van de Noordzee nu.

Tijdens deze periode vond een aantal broeikascatastrofen plaats. Het beste voorbeeld is het Paleoceen-Eoceen temperatuursmaximum (PETM), 55 miljoen jaar geleden. Waarschijnlijk steeg door een heftig vulkanisme de CO_2-concentratie in de atmosfeer. Het werd warmer en grote hoeveelheden ijs in de zeebodem, waar methaan (CH_4) in opgeslagen zat, smolten. Het methaan werd in de oceaan en atmosfeer omgezet in CO_2.

De CO_2 afkomstig van vulkanisme en methaan veroorzaakte een groei van de CO_2-concentratie die vergelijkbaar is met de huidige. Hierdoor verzuurden de oceanen en werd het mondiaal vijf graden warmer. Dier- en plantensoorten migreerden richting de polen. De Noordelijke IJszee bereikte temperaturen van rond de 23 graden en subtropische algensoorten tierden er welig. Soorten die op de zeebodem leefden, stierven uit. Het duurde 150.000 jaar voordat de extra CO_2 uit de atmosfeer en de oceanen was onttrokken, en het klimaat weer hersteld was naar de oorspronkelijke situatie.

In aanvulling op het hypothetische doemscenario dat Al Gore presenteert in zijn film, weten wetenschappers dus al uit 'ervaring' hoe de wereld eruit ziet, als de broeikascatastrofe doorzet. Het maximum van van 55 miljoen jaar geleden is namelijk vergelijkbaar met de huidige situatie. Als de mens geen oplossing vindt, zal het ongeveer 100.000 jaar duren voor de extra koolstof volledig uit de oceaan en atmosfeer is verdwenen.

Op www.expeditiebroeikaswereld.nl is een compleet onderwijsprogramma voor de bovenbouw havo-vwo te vinden over klimaatverandering. Volkskrant-columnist Maarten Keulemans publiceerde in 2008 *Exit mundi* (Bruna) over de menselijke hang naar doemscenario's.

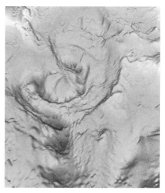

Krater in de Golf van Mexico. Geologen vinden overal op de wereld aanwijzingen voor een inslag van een kleine planetoide of komeet, 65 miljoen jaar geleden bij Chicxulub op het huidige schiereiland Yucatán. De Nederlander Jan Smit ontdekte over de hele wereld een iridiumhoudend laagje in de bodem dat na de inslag neerdwarrelde. De klap luidde de ondergang in van de dinosauriers en mogelijk de opkomst van de zoogdieren, waaronder de mens.

NORMAALVERDELING

Overal in de natuur komt-ie voor: de klokvormige normale verdeling, het belangrijkste gereedschap van de statisticus.

Curve en formules van de normaalverdeling van Gauss, op het vroegere biljet van 10 D-Mark

Voor gokker en geleerde

HESTER BIJL

→ Hoewel de normale verdeling de meest gebruikte is, kent de statistiek ook andere verdelingen, die handig zijn in bepaalde situaties. De Weibull-verdeling, bijvoorbeeld, ziet er niet uit als een klok, maar als een aflopende helling en wordt onder meer gebruikt om de kans aan te geven dat iets kapot gaat in de loop van de tijd. De Pareto-verdeling is geschikt voor oneven-wichtige situaties en wordt ook wel de 80-20-regel genoemd: 20% van de mensen bezit 80% van de rijkdom, of 80% van de mensen woont in 20% van de steden.

WIE IN DE CARAVAN ZIT, OMDAT HET BUITEN REGENT, en bovendien kinderen in de mens-erger-je-niet-leeftijd heeft, weet het: met een dobbelsteen is de kans op een één even groot als de kans op een drie of een zes. Bij ganzenborden met twee dobbelstenen wordt het anders.

Het gemiddelde gaat nog wel goed: dat verdubbelt keurig van drieënhalf naar zeven. Maar de kans op zeven is veel groter dan de kans op twee of twaalf. Als je op ruitjespapier alle getallen van twee tot en met twaalf naast elkaar tekent, en je kleurt steeds een vakje bij de worp die je gooit, dan ontstaat een berg. Zou je dit met meer dobbelstenen doen, dan neemt het steeds meer de vorm aan van een klok.

Dit verschijnsel is al bekend uit de tijd van voor de caravan. De achttiende-eeuwse Franse wiskundige Abraham de Moivre kreeg hierover al vragen van gokkers. Wat is de kans op meer dan zestig keer kop als je honderd keer een munt gooit? De antwoorden hierop volgen uit lange sommen. De kans uitrekenen op 61 keer kop, 62 keer kop... tot en met 100 keer en dan optellen. Berekeningen waar makkelijk een fout insluipt. De Moivre ontdekte een snellere manier. Hij vond een wetmatigheid die bij dit soort experimenten de kans geeft: de normale verdeling.

Met het begrip 'verdeling' beschrijven wiskundigen hoe vaak elke uitkomst relatief voorkomt. Gooien met één dobbelsteen geeft bijvoorbeeld een uniforme verdeling; elke uitkomst komt evenveel voor. De inkomensverdeling is niet uniform,

Abraham de Moivre

er zijn meer modale inkomens dan topinkomens. De normale verdeling ziet er als wiskundige functie ingewikkeld uit, maar hij duikt overal in de natuur op.

De normale verdeling ontstaat waar toevallige uitkomsten (lengte, gewicht, aantal babymuizen, ogen van dobbelstenen) een optelling zijn van een groot aantal kleine, onafhankelijke, toevallige effecten. Hoe meer effecten (aantal dobbelstenen) en hoe meer uitkomsten (worpen van de dobbelstenen), hoe meer de verdeling op de normale verdeling lijkt: dat is de centrale limietstelling.

Deze stelling is heel bruikbaar, omdat in de natuur uitkomsten vaak ontstaan uit een optelsom van een groot aantal kleine, onafhankelijke, toevallige effecten, bijvoorbeeld bij de intelligentie van groep-achtkinderen, de middagtemperatuur op de camping of de bloeddruk van een volwassen vrouw. Bloeddruk is namelijk afhankelijk van een groot aantal onafhankelijke factoren, zoals lichaamsgewicht, leeftijd en erfelijke eigenschappen.

De normale verdeling heeft een aantal bijzondere eigenschappen: ten eerste is de kans op het gemiddelde het grootst, ten tweede is de kans op een waarde boven het gemiddelde even groot als de kans op een waarde onder het gemiddelde (symmetrie) en ten slotte is de kans op de uiterste waarden het kleinst. Een grafiek van de verdelingsfunctie heeft de vorm van een klok, en wordt daarom in het Engels vaak 'bell curve' genoemd. Die functie kan met slechts twee getallen worden beschreven: het gemiddelde en de standaarddeviatie. Dat laatste geeft aan hoever de uitkomsten door de bank genomen van het gemiddelde afliggen, oftewel de breedte van de klok. Zodra je deze twee gegevens hebt, weet je de hele verdeling.

Omdat veel natuurlijke verschijnselen normaal verdeeld zijn, maken natuurwetenschappers en psychologen veel gebruik van de verdeling. Omdat deze al vast ligt als twee getallen bekend zijn, vallen veel uitspraken te doen over zaken waar relatief weinig van bekend is. Als je aanneemt dat een waarneming wordt bepaald door de optelsom van vele kleine, onafhankelijke effecten, kun je met de normale verdeling allerlei voorspellingen doen, ook al zijn de precieze onderliggende mechanismen onbekend. Zo kan uit een representatieve steekproef het gemiddelde en de standaarddeviatie van de lengte van de volwassen Nederlandse man worden benaderd. Daarmee kun je dan schatten hoeveel mannen van boven de twee meter in Nederland wonen.

Het is verleidelijk normale verdelingen te zien waar ze niet zijn. Bijvoorbeeld als de uitkomst wordt bepaald door één dominant effect. Dit is het geval voor de bloeddruk van een grote groep mensen. Het geslacht is zo bepalend dat je de normale verdeling pas ziet als mannen en vrouwen gescheiden worden.

Het heeft even geduurd voordat de normale verdeling veel gebruikt werd. De Moivres werk werd niet veel gelezen. Daardoor werd de normale verdeling later herontdekt, onder andere door de Duitser Carl Gauss. Die merkte in het begin van de negentiende eeuw dat de fouten bij waarnemingen aan planetenbanen bij benadering normaal verdeeld zijn. De normale verdeling wordt daarom ook wel de Gaussische verdeling genoemd. Nog steeds wordt de normale verdeling gebruikt bij de bepaling van meetfouten. Daarbij wordt aangenomen dat de meetfouten veroorzaakt worden door een scala aan kleine, onafhankelijke effecten.

De normale verdeling wordt ook gebruikt in het verzekeringswezen en in de sociale wetenschappen. De negentiende-eeuwse Franse wiskundige Adolphe Quetelet, bekend van de Quetelet-index voor de ideale verhouding tussen lengte en lichaamsgewicht, was de eerste die dat met sociale gegevens deed. Uit metingen van de borstomvang van Schotse soldaten en de lengte van Franse soldaten ontdekte hij dat deze normaal verdeeld waren. Hij ging zo ver dat hij een 'gemiddelde-mens' definieerde. Een afwijking van zo'n gemiddelde beschouwde hij als een 'fout', wat op weerstand stuitte.

Halverwege de twintigste eeuw kwam de computer. Daardoor zijn statistische methoden steeds geraffineerder geworden en is het mogelijk wiskunde en statistiek ver buiten de beperkingen van de normale verdeling te bedrijven. Zo is het in de financiële wereld heel belangrijk om afwijkingen van de normaalverdeling op te sporen, juist in de staart van de verdeling waar de zeldzame gebeurtenissen zoals beurskrachen zich bevinden. Maar de normale verdeling blijft vooral een krachtig wiskundig instrument om orde te brengen in een onvoorspelbare wereld.

Ieder statistisch lesboek kan gedegen inzicht in de normaalverdeling geven, maar een speelsere inleiding biedt Statistics hacks *van Bruce Frey. Psycholoog Gerd Gigerenzer schreef met* Reckoning with risk *een inzichtelijk boek waarom mensen zo vaak de fout in gaan als ze van statistiek gebruikmaken.*

→ De Britse Florence Nightingale geldt als een pionier bij het grafisch weergeven van statistieken. Dat deed ze om het thuisfront op de hoogte te houden van haar bevindingen als verpleegster tijdens de Krimoorlog: veel mensen zouden het niet begrijpen als ze alleen cijfers gaf. Haar gave voor statistiek gebruikte ze onder andere om de legerleiding ervan te overtuigen dat de meeste doden onder soldaten niet vielen door gevechtshandelingen maar door slechte voeding en medische zorg. In 1859 was ze de eerste vrouw die werd toegelaten tot de Royal Statistical Society.

WATERWERKEN

31

Nederland kent 17.500 kilometer

aan waterkeringen

Palmeiland voor de kust
van Dubai

Werken tegen water

MARGO VAN DEN BRINK

➙ Nederlandse water-bouwkennis is een belangrijk exportproduct. Ingenieursbureaus als Arcadis en Haskoning adviseren over de hele wereld bij de aanleg van dijken, dammen, havens en andere waterwerken. Nederland en België samen bezitten de grootste baggervloot ter wereld, die onder andere is ingezet voor grote landaanwinnings-projecten als de nieuwe luchthaven van Hong Kong en de kunstmatige palmeilanden voor de kust van Dubai.

IN HET BUITENLAND ZIJN WEINIG NEDERLANDERS ZO BEKEND ALS HANSJE Brinker. Door zijn vinger in het gat van een lekkende dijk te steken, zou deze sluiswachterszoon het land hebben behoed voor een watersnoodramp (in werkelijkheid is hij verzonnen door de Amerikaanse schrijfster Mary Mapes Dodge).

Beroemd in eigen land is vooral Cornelis Lely. Hij ontwierp de 32 kilometer lange en 90 meter brede Afsluitdijk, een baanbrekende prestatie op het gebied van dijkenbouw. Beide helden staan symbool voor de eeuwenoude strijd van Nederland tegen het water, een strijd met als doel de vruchtbare delta van Rijn, Maas en Schelde bewoonbaar te maken en te houden.

Tot ongeveer duizend jaar geleden lag Nederland nog grotendeels boven zeeniveau en zorgde de sedimentatie van de grote rivieren voor natuurlijke landaanwas. De bewoners wierpen terpen op als bescherming tegen hoogwater. De ontginning en afwatering van moerassen in de daaropvolgende eeuwen maakten het noodzakelijk waterwerken als dijken, spuisluizen en gemalen te bouwen.

Dit leidde tot een onomkeerbaar proces van inklinking, waardoor de bodem daalde met vijf à twintig centimeter per honderd jaar, een effect dat werd versterkt door een geleidelijke stijging van de zeespiegel. De veengebieden liggen nu gemiddeld bijna drie meter beneden Normaal Amsterdams Peil (NAP), het nationale ijkpunt voor hoogtemetingen. In de polders en droogmakerijen ligt het

→ Eeuwenlang was dijkenbouw een vak dat puur op ervaring gebaseerd was. De Afsluitdijk was echter zo'n grote ingreep dat de ervaring niet vertrouwd kon worden. Daarom werd de hulp ingeroepen van de eminente natuurkundige Hendrik Lorentz. Zijn berekeningen over de waterstromen in het nieuwe IJsselmeer en de Waddenzee bleken achteraf behoorlijk accuraat te zijn.

land nog veel lager, met een 'dieptepunt' van 6,7 meter bij Nieuwerkerk aan den IJssel. Zonder dijken, duinen en andere waterkeringen zou bij een stormvloed of een extreme rivierafvoer ongeveer 65 procent van Nederland overstromen.

Aanvankelijk was dijkenbouw een taak van lokale boeren en ambachtslieden, die zich verenigden in waterschappen. Na de oprichting van Rijkswaterstaat in 1798 werd een aanzienlijk deel van de waterstaatszorg het domein van ingenieurs. Vooral in de twintigste eeuw vonden belangrijke doorbraken plaats in kennis en techniek. Naast traditionele materialen als aarde, klei en keileem werd steeds meer gebruikgemaakt van staal en gewapend beton. Daarnaast werd de uitvoering van het werk gemechaniseerd.

Zo konden grote projecten worden gerealiseerd als de Noordersluis in IJmuiden, de afsluiting en inpoldering van de Zuiderzee en de bouw van de Deltawerken. Deze projecten maakten de Nederlandse waterbouwkundigen wereldberoemd. Hun kennis werd een belangrijk exportproduct.

Ontwerp en uitvoering van zulke projecten vergden nauwkeurig inzicht in stroomsnelheden en getijbewegingen. Daarvoor werd in 1927 het Waterloopkundig Laboratorium opgericht. Met nieuwe rekenmethodes, schaalmodellen en later computersimulaties vielen de gevolgen van waterstaatkundige ingrepen steeds beter te voorspellen. Onder invloed van maatschappelijke kritiek ging het vanaf de jaren zeventig in toenemende mate om de mogelijke schade aan milieu en ecologie. De afsluiting van de Oosterschelde met een doorlaatbare stormvloedkering markeert deze omslag.

Op dit moment telt Nederland circa 3500 kilometer aan primaire waterkeringen, zoals zee- en rivierdijken. Daarnaast biedt zo'n 14.000 kilometer aan regionale waterkeringen, zoals boezemkaden en kanaaldijken, bescherming tegen het 'binnenwater'. De hoogte van de dijken is gebaseerd op veiligheidsnormen die na de watersnoodramp van 1953 zijn ontwikkeld en die worden uitgedrukt in de kans dat hoogwater over de dijk stroomt. Deze kans varieert van eenmaal per 10.000 jaar voor de Randstad tot eenmaal per 1250 jaar langs de grote rivieren. Daarmee lijkt geen land ter wereld zo goed beschermd als Nederland.

Door de klimaatverandering zal het hoogteverschil tussen water en land en daarmee de kans op overstroming verder toenemen. Het KNMI verwacht een zeespiegelstijging van 35 tot 85 centimeter in 2100. De verwachte bodemdaling bedraagt voor 2050 al tussen de twee en zestig centimeter. Bovendien zullen de winters in Nederland natter zijn en zal het vaker langdurig regenen, waardoor de rivieren meer water zullen moeten afvoeren. De bijna-overstromingen in het rivierengebied in 1993 en 1995, de dijkafschuiving in Wilnis in 2003 en de watersnoodramp in New Orleans in 2005 door de orkaan Katrina tonen de hernieuwde urgentie van waterveiligheid aan.

Daarbij zijn de mogelijke gevolgen van een overstroming nu veel groter dan in de tijd dat de veiligheidsnormen zijn ontworpen. Zowel het aantal inwoners als het kapitaal achter de Nederlandse dijken is sindsdien namelijk fors toegenomen. Uit een recente analyse blijkt bijvoorbeeld dat de schade bij een dijkdoorbraak bij Rotterdam ongeveer 37,5 miljard euro zal bedragen. Ook zullen er enkele duizenden slachtoffers zijn, afhankelijk van het succes van de evacuatie.

De laatste tijd groeit de twijfel of bescherming tegen overstroming alleen kan worden geboden door de verdere aanleg en versterking van dijken en andere waterkeringen. Hogere dijken zijn breder en hebben dus meer ruimte nodig. Bovendien heeft dit vaak negatieve gevolgen voor de woonomgeving en de natuur. Verder is het inzicht gegroeid dat ook andere faalfactoren dan een extreem hoge waterstand grote invloed hebben op de kans op een overstroming. Bijvoorbeeld het niet op tijd sluiten van sluisdeuren. Ook is het beleid tot nu toe eenzijdig gericht op kansreductie en zijn geen voorwaarden gesteld aan het ruimtegebruik achter de dijken.

Op dit moment wordt gewerkt aan een nieuwe aanpak van de bescherming van Nederland tegen het water. Dijken blijven nodig, maar de kans op overstroming kan ook met ruimtelijke maatregelen worden verkleind.

Sommige gebieden zullen misschien tijdelijk natte voeten moeten accepteren om andere gebieden, zoals de grote steden, van overstroming te vrijwaren. De eeuwenoude strijd tegen het water is daarmee behalve een technisch vraagstuk vooral een belangrijke politieke en maatschappelijke opgave geworden.

Rond het tweehonderdjarig bestaan van Rijkswaterstaat in 1998 zijn enkele uitgebreid geïllustreerde boeken verschenen, zoals *Twee eeuwen Rijkswaterstaat* onder redactie van Harry Lintsen. Het deltapark Neeltje Jans bij de Oosterscheldedam biedt een aanschouwelijk inzicht in de deltawerken.

ENTROPIE

32

Entropie verklaart onder
meer dat zich uit scherven
nooit zomaar een heel bord
vormt

Warmte gaat niet terug

DAAN WEGENER

→ De Nederlander Johannes van der Waals heeft weliswaar niet aan de wieg van de entropie gestaan, maar zijn werk is wel van essentieel belang geweest voor het begrip hoe gas- en vloeistofmoleculen in wanorde met elkaar omgaan. Voor zijn verdiensten kreeg hij in 1910 de Nobelprijs voor de natuurkunde.

EEN OMGEKEERD AFGESPEELDE VIDEOBAND IS HILARISCH VOOR DE kijker, maar stelt natuurkundigen voor een probleem. Waarom kunnen gebouwen wel vanzelf instorten, maar waarom vormen stofwolken nooit vanzelf gebouwen? Waarom zijn zoveel processen in de natuur onomkeerbaar? Het antwoord: vanwege de tweede hoofdwet van de thermodynamica, die zegt dat de entropie van een gesloten systeem niet kan afnemen.

De eerste en de tweede hoofdwet van de thermodynamica zijn gebaseerd op betrekkelijk eenvoudige waarnemingen. De eerste wet, of de wet van behoud van energie, is gebaseerd op de ervaring dat het onmogelijk is een perpetuum mobile van de 'eerste soort' te maken: een lampje dat eeuwig brandt maar niet aangesloten is op een energiebron, bijvoorbeeld.

De tweede hoofdwet is gebaseerd op de ervaring dat het onmogelijk is een perpetuum mobile van de 'tweede soort' te maken: een apparaat dat zonder tegen-prestatie warmte van een kouder naar een warmer lichaam laat stromen. Ook dit kan niet. Iedereen die een koelkast in huis heeft, weet dat het juist energie kost om objecten kouder te maken dan hun omgeving. Warmte stroomt vanzelf van een warmer naar een kouder lichaam, maar niet andersom.

Temperatuurverschillen tussen twee gassen kunnen worden gebruikt om arbeid te verrichten. De stoommachine, de motor achter de industriële revolutie,

Computersimulatie van een neerwaartse luchtstroming, bovenin geordend, onderin ongeordend

werkt op dit gegeven. De kunst is vervolgens een zo groot mogelijk percentage van deze warmte nuttig te gebruiken. Dit is een groot praktisch probleem voor zowel de industrie als het milieu. Het is geen toeval dat de grondleggers van de tweede hoofdwet, de Franse natuurkundige Nicolas Sadi Carnot en de Britse Lord Kelvin, waren geobsedeerd door efficiënte motoren.

De eerste hoofdwet, de wet van energiebehoud, geeft geen verklaring voor de huidige energieschaarste. Hoeveel olie, gas en steenkool de mens ook verstookt, de totale hoeveelheid energie blijft immers altijd constant. In principe zou de energie dus oneindig te gebruiken en hergebruiken moeten zijn.

Maar helaas: de tweede hoofdwet is een spelbreker. De warmte die bij de verbranding van fossiele brandstoffen vrijkomt, is namelijk niet zomaar te recyclen. Eenmaal vermengd met de aardatmosfeer, is de warmte niet langer bruikbaar. Zo gaan grote hoeveelheden energie verloren. Entropie, zo zeggen natuurkundigen, neemt toe.

Vergeleken met andere natuurkundige grootheden, zoals kracht en massa, is het buitengewoon moeilijk een concrete voorstelling van entropie te maken. Het is zelfs niet helemaal duidelijk wat de etymologische achtergrond van het woord is. De Duitse geleerde Rudolf Clausius bedacht de term 'entropie'; in het dagelijks taalgebruik had het daarvoor geen betekenis.

Waarschijnlijkheid, complexiteit, chaos en gebrek aan informatie zijn begrippen die doorgaans met entropie worden geassocieerd. Maar dit zijn menselijke begrippen die moeilijk te kwantificeren zijn. Het is een populaire misvatting dat de natuurkunde alleen maar om rekenwerk draait. In werkelijkheid kan de natuurkunde niet zonder fantasie en creativiteit.

Een voorbeeld dat het begrip entropie inzichtelijker maakt, is een bak gevuld met een gelijk aantal witte en zwarte ballen. De toestand van minimale entropie zou een strikte scheiding zijn tussen de witte en de zwarte ballen. Iemand die geblinddoekt een bal uit een bepaalde hoek van de bak pakt, zal de kleur van tevoren met zekerheid weten. Maar zodra de ballenbak wordt geschud, zullen de witte en zwarte ballen steeds willekeuriger en chaotischer over de bak worden verdeeld. Het resultaat van een greep in de bak wordt steeds onzekerder. De entropie neemt toe. Uiteindelijk is de kans op een witte bal even groot als op een zwarte.

Neem in plaats van een ballenbak een warm en een koud gas voor die door een wand van elkaar zijn gescheiden. In het warme gas bewegen de moleculen gemiddeld sneller dan in het koude. Wanneer de wand verwijderd wordt, zullen de moleculen vanzelf door elkaar gaan bewegen en botsen. Uiteindelijk is de temperatuur overal gelijk. Het is buitengewoon onwaarschijnlijk dat de snelle en langzame moleculen zich vanzelf weer zullen scheiden. Als de entropie eenmaal is toegenomen, neemt hij niet meer af. Dit statistische model van de tweede hoofdwet is vooral door Ludwig Boltzmann ontwikkeld. De formule die hij voor entropie formuleerde, staat zelfs op de grafsteen van de Duitse fysicus gebeiteld.

Deze onomkeerbaarheid in de natuur roept vragen op over de geschiedenis van de kosmos. Als entropie alleen maar toe kan nemen, is er dan een moment van minimale entropie en maximale orde geweest? Wie deze vraag stelt, komt al snel uit bij de oerknal. Omgekeerd hebben veel natuurkundigen zich afgevraagd of de tweede hoofdwet ook implicaties heeft voor het einde der tijden. Moeten we ons hier een toestand van totale chaos voorstellen? Lord Kelvin concludeerde uit deze wet dat de eindtoestand van het universum totale stilte en dood moest zijn. Deze vragen zijn even interessant als omstreden. Ook geven ze blijk van de behoefte antwoord te vinden op de vragen 'waar komen wij vandaan?' en 'waar gaan wij naartoe?'

De tweede hoofdwet heeft vele gezichten. Enerzijds is de wet altijd nauw verbonden geweest met industrialisatie en pogingen om motoren zo efficiënt mogelijk te laten werken. Tegelijkertijd staat hij centraal in zeer theoretische, deels ook filosofische discussies over de grondslagen van de natuurkunde en kosmologie. Daarbij wordt het begrip op veel verschillende manieren gebruikt en geïnterpreteerd. Het is aan de wetenschappers van de toekomst om, geheel tegen hun eigen entropiewet in, orde te scheppen in deze chaos.

Een toegankelijk boek over de thermodynamica is *Four laws that drive the universe* van Peter Atkins. Het boek *Order out of Chaos* van Nobelprijswinnaar Ilya Prigogine gaat in op de thermodynamica van levende systemen en organismen.

→ Entropie speelt ook een belangrijke rol in de informatietheorie. Waar entropie een maat is voor de wanorde van een systeem, is informatie een maat van orde. Het wiskundige verband tussen beide werd tijdens de Tweede Wereldoorlog ontdekt door de Amerikaan Claude Shannon. Het vaststellen van de mate van orde in een reeks bits is cruciaal voor bijvoorbeeld het kraken van cryptografische codes: een goede code geeft een zo hoog mogelijke entropie, zodat de informatie er moeilijk uit te halen valt.

DNA

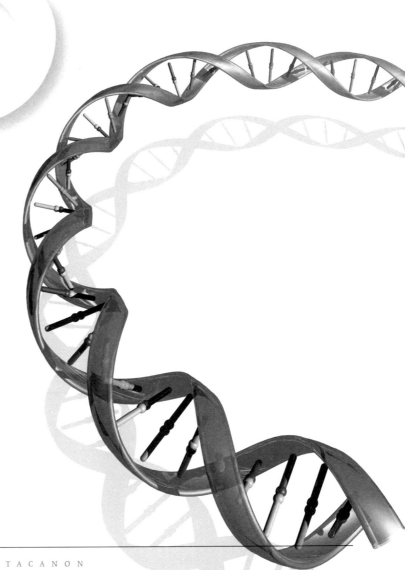

De dubbele helix die in iedere cel van mens, dier en plant zit, bevat de code voor onze erfelijke eigen-schappen

Code van al het leven

MARIJN LUIJTEN

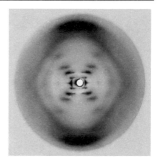

→ Rosalind Franklin
was een Britse kris-
tallografe, wier werk
inzicht heeft gegeven in
de structuur van onder
andere virussen en
grafiet. Onder andere
haar röntgenopnamen
van DNA stelden Francis
Crick en James Watson
in staat de structuur
ervan te formaliseren.
Hun eerste model was
overigens fout, omdat ze
het te haastig in elkaar
hadden gezet, bang
als ze waren dat hun
concurrent Linus Pauling
hen te vlug af zou zijn.
Uiteindelijk deelden
Crick, Watson en Wilkins
in 1962 de Nobelprijs
voor de ontdekking van
DNA. Franklin was op dat
moment al overleden.

O P EEN KOUDE FEBRUARIDAG IN 1953 STORMDE FRANCIS CRICK ZIJN
favoriete stamkroeg in Cambridge binnen en riep, zoals zijn collega James
Watson, een Amerikaan die in Engeland verzeild was geraakt, later zou
optekenen: 'Wij hebben het geheim van het leven ontrafeld.' Dit was geen dronke-
manspraat. Die ochtend hadden Watson en Crick namelijk de driedimensionale
structuur van het DNA-molecuul ontdekt.

Die structuur – een dubbele helix die zichzelf kan openen en kopiëren
– bevestigde eerdere bewijzen dat DNA de drager is van erfelijke eigenschappen,
maar gaf tevens informatie over de manier waarop het dat doet. Deze inzichten
hebben een ware DNA-revolutie ontketend in de biologie. De klassieke genetica (erfelijkheidsleer) heeft rigoureus plaats moeten maken voor een modernere variant, de
moleculaire genetica. Terwijl de klassieke erfelijkheidsleer regels voor overerving
probeerde af te leiden door soorten te kruisen, wordt in de nieuwe biologie
geprobeerd erfelijke eigenschappen door DNA-onderzoek te verklaren.

Sinds de kruisingsproeven van de Oostenrijkse monnik Gregor Mendel
halverwege de negentiende eeuw, is bekend dat ouders genetische 'informatie-
eenheden' met instructies voor bepaalde eigenschappen doorgeven aan hun nakomelingen. Mendel had echter geen idee wat de fysieke basis zou kunnen zijn van
deze eenheden, die nu genen heten.

Maurice Wilkins

Een eeuw later, in 1944, ontdekten de Amerikanen Oswald Avery, Colin MacLeod en Maclyn McCarty dat genen uit DNA bestaan en een decennium verder ontrafelden Watson en Crick de structuur van het DNA. Het bleek een dubbele helix te zijn waarbij twee strengen van aaneengeschakelde suiker- en fosfaatgroepen om elkaar heen draaien zoals de leuningen van een wenteltrap. De treden van deze trap worden gevormd door twee zogenoemde basische groepen die een verbinding aangaan. In het DNA komen deze basen voor in vier vormen, adenine (A), cytosine (C), thymine (T) en guanine (G).

Watson en Crick vermoedden dat de basenvolgorde waaruit het DNA was opgebouwd, informatie bevat over erfelijke eigenschappen en noemden dit de genetische code van het DNA.

Het was nu zaak uit te vinden hoe de genetische code zich laat vertalen in concrete eigenschappen. Dit moest iets met eiwitten van doen hebben. De meeste erfelijke eigenschappen zijn namelijk het werk van eiwitten. Eiwitten kleuren de ogen van een mens, bepalen diens bloedgroep en verstandelijke vermogens. Ergens in de basenvolgorde van het DNA moet dus informatie zijn opgeslagen over de volgorde waarin de bouwstenen van eiwitten, de aminozuren, aan elkaar gekoppeld moeten worden.

Theoretici ontdekten al snel dat een groepje van drie opeenvolgende basen wordt vertaald naar één aminozuur. Zo laat basenvolgorde ATG zich vertalen naar het aminozuur methionine. Als na de ATG een CTT triplet volgt in het DNA, wordt aan het methionine het aminozuur leucine gekoppeld.

Er was nog wel een probleem. Het DNA zit in de celkern, terwijl eiwitten juist buiten de kern worden gemaakt. Het DNA kan de kern onmogelijk verlaten. Daarvoor heeft de natuur een elegante oplossing gevonden in de vorm van een DNA-boodschapper genaamd RNA. Het RNA is klein, beweeglijk en kan daarom uit de kern worden getransporteerd.

Als er behoefte is aan een bepaald eiwit, wordt er in de kern een exacte rna-kopie gemaakt van het DNA dat codeert voor dat specifieke eiwit. Dit RNA geeft vervolgens buiten de kern de DNA-instructies door over de aminozuurvolgorde van het te produceren eiwit. Dit driestappenplan wordt wel het centrale dogma in de moleculaire biologie genoemd, of met de woorden van Crick: 'DNA maakt RNA maakt eiwit.'

De verzamelnaam voor al het DNA in de celkern is 'genoom'. Op dit moment is bijna de hele basenvolgorde van het menselijk genoom bepaald (gesequenced). Dit is zonder meer een enorme prestatie en bijzonder belangrijk voor bijvoorbeeld het biomedisch onderzoek naar de relatie tussen veranderingen in het DNA en erfelijke ziekten. Op basis van de sequence-informatie wordt het aantal genen van de mens geschat tussen de 20 en 25 duizend. Het is nu de taak van wetenschappers om voor elk van die genen in kaart te brengen wat zijn functie is.

Crick geeft les

Hoewel het genoom van twee individuen vrijwel identiek is, ziet ieder mens er toch verschillend uit. Dat komt doordat er verschillende varianten van genen in omloop zijn. Zo heeft iedereen een gen voor haarkleur, maar bepalen kleine verschillen in de basenvolgorde van dat gen of de uitkomst zwart of blond is. Tijdens forensisch onderzoek wordt dankbaar gebruikgemaakt van dit soort verschillen om aan te tonen dat het DNA van een verdachte exact overeenkomt (of niet) met dat van de gevonden DNA-sporen op de plaats van een misdrijf.

Invloeden van buitenaf, zoals sigarettenrook, zonlicht of aangebrand vlees, kunnen het DNA zo beschadigen dat de basenvolgorde erin verandert. Vaak worden deze mutaties door de cel opgemerkt en weer hersteld, maar soms faalt de reparatie en wordt de mutatie onderdeel van het DNA.

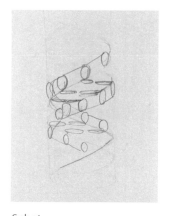

Schets van DNA-structuur door Francis Crick

Dit is niet per definitie nadelig. Zo kunnen eiwitten bijvoorbeeld van samenstelling veranderen waardoor ze nog effectiever werken. Maar heel vaak gaat het juist mis en verliest de cel een belangrijk eiwit, waardoor ziekten of ontwikkelingsstoornissen zich openbaren.

Nieuwe technieken worden in toenemende mate ingezet om de genetische bron van erfelijke ziekten op te sporen in het genoom. Hierdoor kunnen aandoeningen gerichter worden bestreden. Veelbelovend is ook de gentherapie, waarbij een defect gen wordt vervangen door een stukje gezond DNA. Misschien dat sommige erfelijke ziekten daardoor in de toekomst geheel verdwijnen.

Van alle hoofdrolspelers in de ontdekking van de DNA-structuur in 1953 zijn biografieen verschenen. In *The Double Helix* vertelt James Watson, op zijn eigen dwarse wijze, als eerste het verhaal van de ontdekking. Matt Ridley schreef *Genome*, een uitstekende inleiding in de moleculaire genetica in 23 hoofdstukken.

LANDBOUW

34

Dertig procent van al
het land ter wereld is landbouwgrond, met grote
consequenties voor de
natuur

Eten en leven van land en zon

THOMAS GROEN

→ In 1970 kreeg de Amerikaan Norman Borlaug de Nobelprijs voor de vrede vanwege zijn verdiensten voor de 'groene revolutie'. Vanaf de jaren veertig van de twintigste eeuw werkte Borlaug in Mexico aan betere tarwesoorten, uit wetenschappelijke nieuwsgierigheid, maar evengoed uit de overtuiging dat efficiëntere voedselproductie essentieel was om de groeiende wereldbevolking te voeden. Om dezelfde reden pleitte hij in latere jaren voor genetische manipulatie van gewassen, volgens hem de enige methode om de opbrengst van landbouw verder op te voeren.

VOLGENS ARCHEOLOGEN DEDEN DE BEWONERS VAN JERICHO zo'n tienduizend jaar geleden al aan landbouw. Een gouden vondst, want landbouw is veel efficiënter dan jagen en verzamelen. Landbouw is het omzetten van zonne-energie in voor de mens nuttige stoffen, zoals hout, graan en katoen. Dagelijks straalt de zon ongeveer negenduizend keer meer energie naar de aarde dan de mens nodig heeft. Planten en bomen leggen, met behulp van fotosynthese, daarvan ongeveer één procent vast in chemische verbindingen.

Op dit moment is ongeveer dertig procent van het land op de wereld bedekt met landbouwgrond. Daar vindt dertig tot vijftig procent van alle primaire productie (zonlicht omgezet door planten en bomen) op aarde plaats. Een deel van die energie wordt via vee omgezet in dierlijke eiwitten. Hoewel vlees meer energie bevat dan plantaardige producten, is de productie van planten efficiënter. Om één kilo rundvlees te produceren, is ongeveer tien kilo graan nodig.

Het primaire doel van landbouwkundig onderzoek is het vinden van manieren om de zonne-energie zo efficiënt mogelijk om te zetten in nuttige stoffen. In de eerste plaats is daar een stevige bodem voor nodig waarin voldoende nutriënten beschikbaar zijn, zoals stikstof, fosfor, kalium en zwavel.

Planten hebben die stoffen nodig om te groeien. Langzaam verdwijnen de nutriënten dus uit de bodem. In de oudheid had men al door dat je de grond weer

Gregor Mendel

vruchtbaar kon maken met mest of, zoals bij de Egyptenaren, rivierslib. Nederland kende vroeger een 'engsysteem'. Stalmest werd opgespaard en met stro gemengd in een potstal. Elk jaar werd dit dan op het land (de eng) aangebracht, waardoor sommige engen een stuk hoger liggen dan het omliggende land. Dat is nog steeds goed te zien in het Drentse landschap.

Dat dertig procent van het aardoppervlak voor landbouw wordt gebruikt, heeft grote impact op veel natuurlijke kringlopen. Doordat planten worden geoogst en ergens anders opgegeten, worden nutriënten afgevoerd naar plaatsen waar mensen leven en wonen. Als daar niks tegen gedaan wordt, verschraalt de bodem en daalt de productie.

In de natuur produceren planten en dieren stoffen in hoeveelheden die voor hen voldoende zijn. Zo is het voor een wilde koe niet nuttig om het hele jaar door zestig liter melk per dag te produceren. Een kalf kan met veel minder toe en een klotsende uier tussen de achterpoten zit in de weg bij een vlucht voor roofdieren. Dat er nu toch koeien met zulke uiers zijn, is te danken aan de veredeling die landbouwers al sinds de steentijd toepassen. Door planten en dieren te selecteren die de hoogste productie leverden, verhoogden zij de productie.

De inzichten in overerving van de Oostenrijker Gregor Mendel hebben de veredeling in de negentiende eeuw een nieuwe dimensie gegeven. Door rassen slim te kruisen, kon men steeds sneller planten en dieren kweken met gewenste eigenschappen.

Sinds 1960 is het naast een goede productie ook steeds meer van belang dat planten goed reageren op kunstmest en irrigatie. Er werd een belangrijke stap gezet door een tarwe-variant te maken die erg productief was, maar niet zo hoog werd dat het gewas knakte en de tarwekorrels op de grond wegrotten. Deze vondst luidde een 'groene revolutie' in: kunstmest en irrigatie werden op steeds grotere schaal toegepast.

Deze revolutie maakte het mogelijk dat de wereldbevolking zich in 200 jaar verveertienvoudigde terwijl per persoon gemiddeld 25 procent meer geconsumeerd wordt. Door de toegenomen mechanisatie zijn ook nog eens veel minder mensen nodig om dat voedsel te produceren. Zelfs de afgelopen vijftien jaar is het aantal hectares dat één persoon kan bewerken, met een ruim eenderde toegenomen.

De toegenomen efficiëntie heeft echter wel een prijskaartje, het maakt de landbouw veel afhankelijker van externe factoren, zoals fossiele brandstoffen, kunstmest en pesticiden. Ook water is vaak een beperkende factor, want om een gemiddelde maaltijd op tafel te krijgen is ongeveer 4000 liter water nodig.

Landbouw wordt steeds ecologischer vanwege een steeds beter inzicht in de relaties binnen ecosystemen. Het is bekend hoe kringlopen van energie en materiaal verlopen en het lukt steeds beter om die kringlopen in landbouwsystemen te sluiten. De Nederlandse mestwetgeving ziet er bijvoorbeeld op toe dat er bijna evenveel stikstof in de grond wordt gestopt als eruit komt. Hierdoor komt steeds minder stikstof in de natuur terecht.

Ook neemt het begrip toe hoe plaagsoorten en gewassen op elkaar reageren. Zo produceren koolplanten stoffen die vijanden van de rups aantrekken. Door die stoffen na te maken, kan biologische bestrijding van rupsen veel effectiever worden en wordt het gebruik van landbouwgif overbodig.

Naast voedsel produceert de landbouw nog veel meer, zoals katoen, hout of plantaardige olie voor onder andere biobrandstoffen. Deze brandstoffen kunnen in de toekomst fossiele energiebronnen vervangen. Het voordeel van biobrandstoffen is dat ze niet opraken, zoals de aardoliereserves. Ook komt er bij de verbranding netto geen CO_2 vrij. Alhoewel de eerste generatie biobrandstoffen nog niet erg efficiënt is, kunnen ze toch bijdragen aan een oplossing voor klimaatproblemen en energieschaarste.

→ Nederland is ondanks de beperkte ruimte ervoor een exporteur van landbouwproducten. Dat komt met name door glastuinbouw en bloementeelt, die producten opleveren met een hoge toegevoegde waarde. Andere producten, met name tarwe om brood van te bakken, moet Nederland juist importeren.

Het derde deel van de monumentale reeks *Techniek in Nederland in de twintigste eeuw* van J.W. Schot en Harry Lintsen (Walburg Pers) is goeddeels gewijd aan de industrialisatie van de landbouw in Nederland. De Keukenhof in Lisse toont bloemen en planten. In 2012 organiseert Nederland in de regio Venlo de wereldtuinbouwtentoonstelling Floriade.

SEKS

35

Geslachtelijk voortplanten is veel
omslachtiger dan klonen, maar het
maakt soorten flexibeler en verzoent
individuen

Insecten zijn essentieel bij een geslachtelijke
voortplanting van planten

Voortplanten met nuttige hindernissen

MARTINE MAAN

S EKS IS LEUK, MAAR HET LEVEN KAN BEST ZONDER. Talloze organismen planten zich aseksueel voort en stellen het zonder mannen. Vooral bij planten en eencelligen komt ongeslachtelijke voortplanting veel voor, maar ook sommige insecten en gewervelde dieren kunnen zichzelf klonen. In 2007 bleek bijvoorbeeld uit DNA-onderzoek dat een vrouwelijke hamerhaai in een Amerikaanse dierentuin een kloon had geproduceerd.

Seks ontstond op aarde een paar miljard jaar geleden, toen bacteriën begonnen genetisch materiaal uit te wisselen – de essentie van geslachtelijke voortplanting. Hoe dat precies is gebeurd, en waarom, is nog steeds onderwerp van onderzoek, net als het grote succes van deze voortplantingsstrategie. Seksuele voortplanting heeft namelijk grote nadelen. Het kost tijd en energie om de juiste partner te vinden. En op evolutionaire tijdschaal zorgt seksuele voortplanting voor een enorme achterstand in populatiegroei: omdat seksuele organismen zowel mannetjes als vrouwtjes produceren, groeit hun aantal half zo snel.

Op de lange duur zou je denken dat alleen aseksuele beesten en planten overblijven. Toch blijft seksuele voortplanting bestaan. Sterker nog, het is de meest algemene vorm van voortplanting onder de complexere organismen, zoals gewervelde dieren inclusief de mens. Evolutiebiologen noemen dit de 'paradox van seks'.

→ Hoewel seks altijd de warme belangstelling van mensen heeft gehad, is het pas laat een onderwerp van wetenschappelijke studie geworden. De Oostenrijkse psychoanalyticus Sigmund Freud was de eerste die een theorie over seksualiteit opstelde. Het eerste wetenschappelijke instituut voor seksuologie opende in 1919 de deuren in Berlijn, om in 1933 platgebrand te worden door de nazi's. De Nederlandse arts Theodoor van de Velde schreef in 1926 met *Het volkomen huwelijk* een bestseller die tientallen drukken beleefde in meerdere talen.

Er bestaan verschillende oplossingen voor de paradox. Een van de belangrijkste is het behoud van genetische variatie. Ongeslachtelijke voortplanting leidt tot klonen: exacte kopieën van de vorige generatie. Zolang de omgeving niet verandert, kunnen deze klonen prima functioneren. Maar in de natuur zijn veranderingen aan de orde van de dag: een favoriete voedselbron raakt uitgeput, een nieuw roofdier verschijnt, het klimaat verandert.

Een verzameling klonen kan in één klap uitsterven wanneer de omgeving verandert. Seksuele organismen daarentegen zijn flexibel: in elke generatie wordt het genetisch materiaal

Spermawinning bij paarden aan de universiteit van Davis

van twee ouders gemengd. Dat leidt tot nieuwe combinaties van eigenschappen. Sommige combinaties zullen het beter doen dan andere, maar er zijn er altijd een paar die goed passen bij de heersende omstandigheden.

Sommige organismen gebruiken afwisselend seksuele en aseksuele voortplanting. Vooral planten zijn daar sterk in. In reactie op droogte, overstroming, vraat of extreme temperaturen veranderen sommige planten hun strategie. Bij vervuiling gaan planten bijvoorbeeld meer zaden produceren, waarschijnlijk omdat ze proberen hun omgeving te ontvluchten: knollen en bollen komen nooit ver van de ouderplant, maar zaden kunnen door de wind of door zaadeters worden verspreid.

Naast het evolutionair husselen van genetisch materiaal, heeft seks soms een sociale functie. De populaire reputatie van bonobo's als seksmaniakken is misschien overdreven. Toch is het opmerkelijk dat deze chimpanseeachtigen veel en vaak seksueel gedrag vertonen, niet alleen tussen volwassen mannetjes en vrouwtjes maar in vrijwel alle denkbare combinaties van mannen, vrouwen en kinderen. Net als bij mensen is bonoboseks deels losgekoppeld van de voortplanting. Vrouwtjes hebben ook seks in onvruchtbare perioden. Waarschijnlijk is dit gedrag belangrijk voor het onderhouden van vriendschappen en voor verzoening na conflicten.

Seksuele voortplanting leidt onherroepelijk tot verschillen tussen de geslachten. Dat begint met kenmerken die rechtstreeks met voortplanting te maken hebben, zoals de organen die sperma en eicellen produceren. Maar bij veel soorten blijft het daar niet bij. Omdat de rol van beide seksen bij het produceren en grootbrengen van jongen verschillend is, gaan ook andere eigenschappen uiteenlopen. Seksuele voortplanting leidt niet alleen tot borsten en baarden, maar vormt ook de verklaring voor veel pracht en praal in de natuur.

Bij de meeste diersoorten investeren vrouwtjes meer in de nakomelingschap dan mannetjes. Terwijl mannetjes kleine en goedkope zaadcellen produceren en een haast oneindig aantal eieren kunnen bevruchten, produceren vrouwtjes maar een beperkt aantal eicellen die relatief groot en kostbaar zijn. Vervolgens zorgen vrouwtjes vaak langer of uitgebreider dan mannetjes voor de jongen. Het resultaat is dat vrouwtjes geneigd zijn tot kieskeurigheid: de vader van haar beperkte aantal nakomelingen moet van goeden huize komen.

Omdat vrouwtjes niet voortdurend beschikbaar zijn, ontstaat er een felle concurrentiestrijd tussen de mannen. Als evolutionair gevolg van die strijd ontwikkelen zij indrukwekkende slagtanden, geweien en hoorns. Ook tonen zij hun geschiktheid met versierselen en bouwwerken, zoals de pauwenstaart en de kleurrijke knutselwerkjes van prieelvogels.

Deze wedloop kan uit de hand lopen. Beroemd is de anekdote van het prehistorische reuzenhert, dat door het gewicht van zijn gewei niet meer op zijn benen kon staan en uitstierf. Sommige wetenschappers betwijfelen dit scenario, maar het principe staat overeind: seksuele selectie kan ertoe leiden dat er eigenschappen ontwikkelen die het voortplantingssucces vergroten, maar de overleving van mannetjes in gevaar brengen. Klonen is wat dat betreft veiliger, zij het minder leuk.

Over seksuele voortplanting zijn boekenkasten vol geschreven. Het oerboek is de klassieker *Descent of Man and Selection in Relation to Sex* uit 1871 van Charles Darwin. Modernere uitwerkingen van Darwins ideeën op de menselijke evolutie zijn ondermeer te vinden in *The Mating Mind* van Geoffrey Miller. Het eigenwijze *De eeuwige Lokroep* van Marcel Roele (Contact) gaat over de oorsprong en gevolgen van de menselijke seksualiteit.

→ Sinds jaar en dag klonen mensen planten, bijvoorbeeld door een stekje van een boom te kweken. Klonen van dieren die zich normaal gesproken seksueel voortplanten vereist inzicht in processen in de celkern. Het eerste gekloonde dier was een Chinese karper in 1963. Tot de publieke beleving drong klonen pas door dankzij het schaap Dolly in 1996. Net als vele gekloonde dieren na haar was Dolly niet echt gezond.

OCEAANSTROMINGEN

Stromingen in oceanen
hebben grote invloed
op het klimaat

Onderzoeksschip Pelagia
van het NIOZ op volle zee

Bewegende zeeën matigen het weer

ALBERT KETTNER

→ Het Koninklijk
Nederlands Instituut
voor Zeeonderzoek,
stammend uit 1876,
is een van de oudste
oceanografische
onderzoeksinstituten
van Europa. Het
instituut, dat beschikt
over eigen schepen,
onderzoekt onder meer
ecologie, met name
van de Waddenzee,
waterstromen en
geologische factoren
als het transport van
zand en slib. De 250
medewerkers van het
instituut hebben hun
werkplek op Texel.

TEGENWOORDIG BESLAAN OCEANEN RUIM ZEVENTIG PROCENT VAN HET aardoppervlak, maar 4,6 miljard jaar geleden konden ze nog niet bestaan. De aarde was toen een bal van vloeibaar gesteente, dus water was er alleen als damp. Met het afkoelen van het aardoppervlak ontstonden waterpoelen, de oersoep, waarin ongeveer 3,6 miljard jaar geleden het eerste leven ontstond.

Er was 25 miljoen jaar van zware regenval voor nodig om de oceanen te vullen en tot op de dag van vandaag groeien de oceanen gemiddeld met 0,1 kubieke kilometer water per jaar dat vrijkomt uit vulkanische erupties.

De oceanen hebben een grote invloed op het klimaatsysteem op aarde, doordat zij constant in beweging zijn. De waterstromen zijn zo groot dat er een speciale eenheid voor is bedacht, de sverdrup; 1 sverdrup is 1 miljoen kubieke meter water per seconde. De warme golfstroom die het klimaat in Nederland grotendeels bepaalt, transporteert bijvoorbeeld zo'n 55 sverdrup vanuit de Golf van Mexico. Dat is ruim 46 keer zoveel als alle rivieren op de wereld samen naar zee afvoeren.

De Britse oceanograaf George Deacon ontdekte in de vorige eeuw dat de circulatiepatronen in oceanen deel zijn van één groot circulerend systeem, aangedreven door de zwaartekracht en de wind. Koud en relatief zwaar zeewater 'valt' bij de polen naar de bodem van de zee en komt bij de evenaar weer boven. Het warme oppervlaktewater wordt daar vervolgens weer naar de polen gestuwd.

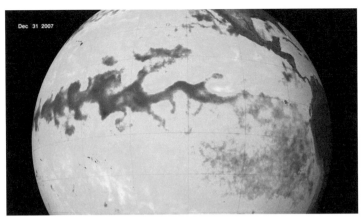

Satellietwaarnemingen van El Nino in de Stille Oceaan in 1998

Onderzoeker van het Woods Hole Oceanographic Institute prepareert een meetboei die stromingen in de Noord-Atlantische Oceaan gaat registreren

Door de draaiing van de aarde wordt die waterstroom afgebogen. De planeet is al een heel eind doorgedraaid voordat het water de polen bereikt. Zo draait de stroming op het noordelijke halfrond met de klok mee en op het zuidelijke halfrond tegen de klok in.

Het draaien van de aarde is constant, maar passaatwinden niet. Die kunnen in richting en kracht variëren en de oppervlaktestromingen van richting veranderen, met grote gevolgen. Het bekendste voorbeeld is het één tot drie jaar durende El Niño-fenomeen, dat elke drie tot acht jaar optreedt. De oostelijke passaatwinden boven de Stille Oceaan nemen sterk af en komen uiteindelijk uit tegenovergestelde richting, waardoor de stroming verandert. Het koude, voedselrijke zeewater dat normaal bij Peru omhoog vloeit, komt dan duizenden kilometers verder bij Indonesië aan het oppervlak.

El Niño is over de hele wereld goed merkbaar. Het Andesgebergte, bijvoorbeeld, wordt dan geteisterd door regen, wat dramatische aardverschuivingen en modderlawines met zich meebrengt. Tegelijkertijd krijgt Australië te maken met extreme droogte.

Toch zou de aarde zonder oceaanstromingen een nog veel extremer klimaat kennen. Het warme oppervlaktewater verdampt namelijk ten dele op weg naar de polen en staat warmte af aan de lucht. Hierdoor is het klimaat in Nederland twee tot vijf graden warmer dan je zou verwachten op grond van de breedtegraad van het land. De lucht die door de warme golfstroom is opgewarmd, koelt boven land af, en omdat koudere lucht minder vocht kan bevatten, valt er neerslag. Zo komt Nederland aan zijn warme, natte winters en gematigde, natte zomers.

Met het opwarmen van de aarde worden ook de oceanen warmer. Daardoor kunnen zij minder kooldioxidegas opnemen. Als de temperatuurverschillen tussen de waterlagen groter worden, mengt het zeewater namelijk minder goed. CO_2 lost beter op in koud water, dus de warme bovenlaag neemt minder CO_2 op.

Daarnaast wordt ook minder CO_2 vastgelegd door fytoplankton. Dit kleine organisme, dat leeft van organisch materiaal dat door rivieren in de zee wordt aangevoerd, is de grootste zuurstofproducent op aarde. In de bovenste lagen van de oceaan, waar zonlicht nog kan doordringen, zet het grote hoeveelheden CO_2 via foto-synthese om in zuurstof en legt daarbij koolstof vast.

Maar voedselrijke stoffen uit rivieren komen vrij snel in diepe oceaanlagen terecht, waar het zonlicht niet meer doordringt. Door het toenemende temperatuur-verschil tussen oceaanlagen mengt deze donkere voedselrijke onderlaag minder goed met de bovenliggende lagen die nog wel zonlicht krijgen. Het plankton kan dus niet meer bij het voedsel.

Oceaanstromingen matigen dan wel het klimaat op aarde, ze zijn ook verant-woordelijk voor abrupte klimaatveranderingen. Dat blijkt onder andere uit een gebeurtenis aan het einde van het Pleistoceen, zo'n 12.500 jaar geleden. Net toen het noordelijk halfrond voor het grootste gedeelte vrij was van landijs, daalde in nog geen tien jaar de temperatuur op aarde. Tijdens deze 1300 jaar durende koude periode dreven er ijsbergen tot aan Portugal.

De Amerikaanse wetenschapper Wallace Broecker toonde aan dat dit kwam doordat de oceaancirculatie was afgezwakt. Volgens Broecker stopte de circulatie doordat een reusachtig Noord-Amerikaans gletsjermeer in de Atlantische Oceaan leegstroomde. Het zoete, lichtere water verdunde het zware zeewater zo, dat het nauwelijks meer naar de bodem zakte.

Veranderingen in oceaanstromingen en de daarmee gepaard gaande plotselinge klimaatveranderingen zijn ook in de toekomst te verwachten. Het is niet ondenkbaar dat door het opwarmen van de aarde de ijskap op Groenland sneller smelt. Deze puls aan zoet water zou weleens een nieuwe ijstijd kunnen starten – en dat terwijl het net warmer gaat worden.

→ La Niña is een fenomeen waarbij het oppervlaktewater rond de evenaar in de Stille Oceaan enkele graden kouder is dan normaal. Het gevolg is kouder en natter weer in Noord-Amerika. La Niña volgt vaak, maar niet altijd op El Niño. Het verband tussen beide wordt nog niet begrepen.

Fysische oceanografie is vooral een onderwerp voor leerboeken, populairder werk gaat doorgaans over het leven in de zee. Het monumentale boek *Oceans* van Robert Dinwiddie is een lofzang op de schoonheid van de oceanen op aarde. Het voorwoord werd geschreven door Fabien Cousteau, zoon van de legendarische onderwaterfilmer wijlen Jacques Cousteau, van wie, behalve talloze documentaires postuum ook het boek *The Human, The Orchid and the Octopus* verscheen. Ook het fotoboek *The Deep* van Claire Nouvian gaat over het vaak haast buitenaards ogende leven in de wereldzeeen.

ELEKTROMAGNETISME

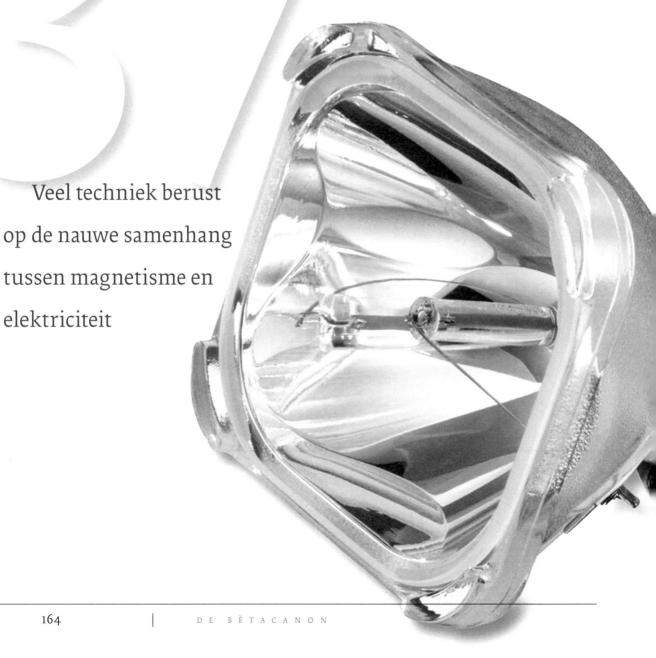

Veel techniek berust op de nauwe samenhang tussen magnetisme en elektriciteit

Golven om te zien en horen

LUCIE DE NOOIJ

Hendrik Lorentz

Bijna iedereen heeft een elektronenkanon in huis. Van achter in een 'ouderwetse' televisie vliegen elektronen, de dragers van elektrische lading, door een elektrisch veld naar het scherm. Om de elektronen op de juiste plaats op het scherm te krijgen, worden ze onderweg afgebogen in een magnetisch veld. Wie een magneet bij zijn beeldbuis houdt, ziet het beeld vervormen.

Zonder elektriciteit zou de wekkerradio niet afgaan, bederft de melk in de koelkast, kan de oppas niet gebeld worden en gaat de computer niet aan. De moderne mens kan zich een leven zonder elektriciteit haast niet meer voorstellen. Toch werden pas in de achttiende eeuw materialen ontdekt die elektrische lading geleiden. Dat betekent dat er een elektrische stroom door die materialen kan lopen, zoals in koperdraad.

In de natuur hangen elektriciteit en magnetisme nauw met elkaar samen. De Deen Hans Christian Ørsted ontdekte dat verband in 1820 door een wel heel simpel experiment uit te voeren. Hij toonde aan dat een elektrische stroom een kompasnaald kan laten bewegen. Wie thuis een klein kompasje heeft, kan dit zelf gemakkelijk testen. Houd het kompas bij de voedingsdraad van een apparaat en zet het apparaat aan.

Er zijn ook stoffen die van zichzelf magnetisch zijn, zoals ijzer. Als zo'n

→ 'Voor mij persoonlijk heeft hij meer betekend dan alle anderen in mijn leven,' zei Albert Einstein over Hendrik Lorentz, die ruim dertig jaar hoogleraar was in Leiden en daarna directeur werd van Teylers Museum in Haarlem. Hij was een theoretisch natuurkundige, die de basis legde onder andermans experimenten, bijvoorbeeld die waarmee zijn student Pieter Zeeman een effect van magnetisme op licht vond. Daarvoor kregen ze in 1902 samen de Nobelprijs.

Amateurzendstation, rond 1910

stof in een magneetveld wordt geplaatst, wordt het materiaal gemagnetiseerd en het magneetveld nog versterkt. Zo zijn verwarmingsradiatoren vaak gemagnetiseerd door het magnetische veld van de aarde. Ook dit is makkelijk te controleren door een kompas bij de verwarming te houden.

In 1857 ontdekte de Brit Michael Faraday dat een veranderend magneetveld een stroom opwekt, ofwel induceert. Een technische toepassing van dit principe bevindt zich op de voorvork van de fiets. Door de beweging van het fietswiel draait in een dynamo een magneetje rond. De ronddraaiende magneet verandert het magneetveld continu. In een spoel van koperdraad rond de magneet gaat dan een stroom lopen waarop de fietslamp brandt.

Een elektrische stroom is een hoeveelheid lading die in een bepaalde tijd langskomt. De grootte van zo'n stroom wordt uitgedrukt in ampère. De stroom gaat pas lopen als er druk op de lading staat. Dat heet spanning, uitgedrukt in volts. Denk aan een tuinspuit: het water dat uit de slang komt is de stroom, de druk die te voelen is als je probeert de waterstraal met een vinger te stoppen, is vergelijkbaar met de elektrische spanning.

De Duitse natuurkundige Georg Ohm ontdekte dat stroom niet zomaar door een materiaal kan lopen. Alle materialen hebben een weerstand, uitgedrukt in ohm. Door de wrijving die ontstaat tussen de passerende ladingen en het materiaal wordt dit materiaal warm. De weerstand wordt groter als de temperatuur stijgt en zo kan een materiaal smelten of zelfs licht gaan geven, zoals in een gloeilamp gebeurt.

Eind negentiende eeuw waren wetenschappers intensief op zoek naar praktische toepassingen van elektriciteit en magneten. Terwijl in laboratoria zelfs enkele doden vielen door elektrocutie, maakte men in het dagelijks leven kennis met de gloeilamp en niet veel later met de telefoon.

De Brit James Clerk Maxwell beschreef in 1865 het verband tussen elektriciteit en magnetisme dat in de natuur wordt gevonden. In een beperkt aantal elegante

formules vatte hij daarmee honderd jaar wetenschappelijke vooruitgang samen.
Maxwells vergelijkingen beschrijven de richting en grootte van elektrische en
magnetische velden. De oplossing van de vergelijkingen is een golf die zich voortbe-
weegt met de lichtsnelheid. Zo ontdekte Maxwell dat (zichtbaar) licht een vorm van
elektromagnetische straling is. Andersom, is inmiddels bekend, worden elektrische
en magnetische velden overgedragen door lichtdeeltjes, fotonen.

In de negentiende eeuw bestond veel interesse in de manier waarop licht zich
voortplant door de ether, de omgeving. Ook de vergelijkingen van Maxwell konden
geen verklaring geven voor het feit dat licht zich in verschillende stoffen verschillend gedraagt. De Nederlandse Nobelprijswinnaar Hendrik Lorentz veronderstelde
dat licht en het materiaal waar dat door beweegt, samen bewegen in een ether.
Hierop voortbordurend bedacht Einstein dat licht geen ether nodig heeft maar in
lege ruimte kan bewegen. Lorentz legde zo de basis voor Einsteins speciale relativiteitstheorie uit 1905.

Elektromagnetische straling bleek een prachtig medium om informatie mee
te verzenden. Zo hebben oude televisies een antenne. Die kan elektromagnetische
golven van een bepaalde frequentie opvangen en omzetten in beelden. De radio doet
hetzelfde op lagere frequentie. Straling van nog lagere frequenties zijn bruikbaar
om eten op te warmen in de magnetron. Zichtbaar licht bestaat juist weer uit hogere
frequenties en van nog hogere frequenties, zoals uv-straling, kunnen mensen
verbranden of ziek worden.

Hoewel er na de Maxwellvergelijkingen geen nieuwe revoluties zijn geweest op
het gebied van elektromagnetisme, zijn er steeds nieuwe technische toepassingen
ontwikkeld. Zo deden de afgelopen tien jaar mobiel internet en flatscreens hun
intrede. Ook al is het vakgebied theoretisch af, wetenschappers kunnen nog heel
lang bezig zijn met de technische mogelijkheden die elektriciteit en magnetisme
met zich meebrengen.

De basiskennis elektromagnetisme staat in ieder natuurkundeboek voor de middelbare
school. Veel van Maxwells werk staat online, te vinden via de Engelstalige Wikipedia.
Technische 'doemusea' als Nemo in Amsterdam en Technopolis in Mechelen bieden
allerlei mogelijkheden om met elektromagnetische verschijnselen te spelen.

→ De Schot James
Clerk Maxwell vormt
samen met Newton en
Einstein het trio grootste
natuurkundigen aller
tijden. Hij was in 1864
degene die licht, elek-
triciteit en magnetisme
samenbracht in één
elegante theorie. Op
dat moment had hij al
belangrijke bijdragen
geleverd aan de thermo-
dynamica en de eerste
kleurenfoto vervaardigd.
In 1874 was hij de
eerste directeur van het
Cavendish Laboratorium
in Cambridge, waar
later het eerste atoom
gesplitst zou worden en
de structuur van DNA
ontdekt.

DE MENS

38

Klimaatverandering
dwong oude mens-
achtigen hun hersenen
te ontwikkelen

Weg van de savanne

ANNEKE VAN HETEREN

→ De Nederlander Eugène Dubois was de eerste wetenschapper die doelbewust op zoek ging naar voorouders van de mens. Daarvoor bezocht hij op het Indonesische eiland Java rivieroevers en oude grotten waarvan hij vermoedde dat het aantrekkelijke woonplaatsen geweest konden zijn voor mensachtigen. Hij kreeg gelijk: tussen 1886 en 1895 vond hij diverse botten die hij toeschreef aan een voorloper van de Homo sapiens. Het kostte hem echter veel moeite zijn vakgenoten te overtuigen. Pas aan het eind van zijn leven, in de jaren dertig van de vorige eeuw, begon zijn inzicht terrein te winnen.

EEN MENSJE VAN ÉÉN METER LANG MET HERSENEN ZO GROOT ALS EEN grapefruit; het klinkt ongelofelijk, maar toch hebben ze bestaan op het Indonesische eiland Flores. Toen in 2003 resten van deze wezentjes werden gevonden, stond de wetenschap op haar kop. Het leidde onder andere tot de theorie dat de mens, net als andere diersoorten, op een eiland kan verdwergen.

Dit soort ontdekkingen zijn de puzzelstukjes waarmee wetenschappers een steeds beter beeld van de menselijke voorouders proberen te krijgen. Aanvankelijk bestonden die puzzelstukjes uit botten en stenen werktuigen, zoals in de tijd van de Nederlandse arts Eugène Dubois, die in 1894 met slechts een schedelkapje, een dijbeen en een kies die hij op Java vond, bewees dat de mens voortkomt uit evolutie. Tegenwoordig wordt ook met behulp van DNA bepaald hoe voorouders eruitzagen, leefden en zich over de wereld hebben verspreid.

Volgens de stamboom zoals de wetenschap die nu tekent, hebben oeroude mensachtigen, de Australopithecinen, zich door natuurlijke selectie ontwikkeld tot Homo erectus en uiteindelijk tot de huidige mens, Homo sapiens. In 1974 hebben de 3,2 miljoen jaar oude botten van Lucy – vernoemd naar 'Lucy in the Sky with Diamonds' van The Beatles – de Australopithecinen bekendheid verschaft. Maar al zo'n zes miljoen jaar geleden liepen oeroude mensachtigen op de Afrikaanse vlakte. Door verdroging van het klimaat schrompelde het aaneengesloten oerwoud ineen

Impressie van de prehistorische dwergmens waarvan in 2004 op het Indonesische eiland Flores fossielen werden gevonden

tot kleine lapjes, die als een soort oases in de savanne lagen.

Om te kunnen omgaan met deze moeilijkere leefomstandigheden, hadden de oude mensachtigen grotere hersens nodig dan hun voorouders en gingen ze rechter op lopen om efficiënter lange afstanden af te kunnen leggen. Verder was het voedselaanbod op de vlakte anders; de zachte vruchten en blaadjes maakten plaats voor harde wortels, knollen en stengels. Dat de Australopithecinen voornamelijk plantaardig voedsel aten, is op te maken uit de gevonden tanden en ribbenkasten.

Er zitten veel doodlopende takken aan de stamboom van de mensachtigen. Maar één soort heeft zich rond twee miljoen jaar geleden zo goed aangepast dat wetenschappers hem Homo erectus, rechtopgaande mens, hebben genoemd. Hij was de eerste die volledig rechtop liep. Uit de smal toelopende ribbenkast en een klein gebit valt op te maken dat de Homo erectus vlees of ander makkelijk te verteren voedsel at. Grotere hersenen stelden ze in staat ingewikkelde gereedschappen te maken en te jagen.

Homo erectus zou ook vuur gebruikt kunnen hebben om de harde stengels en knollen door koken makkelijker verteerbaar te maken, al is dat niet zeker. De honderdduizend jaar oude as- en koolresten kunnen sporen zijn van voorouders, maar ook van blikseminslagen. Over heel Afrika, Azië and Europa zijn resten en werktuigen van Homo erectus gevonden. Hij is vanuit Afrika de wereld in getrokken, luidt de meest gangbare conclusie.

Na deze eerste exodus ontwikkelde Homo erectus zich in Europa rond 500.000 jaar geleden tot de Neanderthaler, die perfect aangepast was aan het koude klimaat tijdens de ijstijden. Met zijn gedrongen postuur leek hij op de Inuit. Op Flores ontwikkelden zich min of meer gelijktijdig de 'hobbits' met hun dwerggroei, al zijn er wetenschappers die denken dat het toch een zieke pygmee geweest is.

Zo'n 150.000 jaar geleden bestonden er drie soorten mensachtigen naast elkaar op aarde: de hobbits, de Neanderthalers en de moderne mensen, Homo sapiens. De laatstgenoemde was net als de andere twee een afstammeling van Homo erectus. Hij verspreidde zich vanuit Afrika over de hele wereld.

Deze tweede exodus uit Afrika is in eerste instantie gereconstrueerd uit archeologische vondsten, zoals botresten en werktuigen. Maar tegenwoordig kan het beeld bevestigd worden door onderzoek naar het mitochondriaal DNA, dat door de moeder ongewijzigd op haar kinderen overgedragen wordt. Recent is gebleken dat alle mensen ter wereld afstammen van een handjevol Afrikaanse vrouwen. Toch zijn er ook wetenschappers die denken dat de Homo erectus zich in verschillende gebieden tot Homo sapiens ontwikkeld heeft.

Er was dus een tijdperk waarin de 'hobbits' op hun eiland Flores en de Neanderthalers in Europa vergezeld werden door de moderne mens. De Neanderthalers en de moderne mens concurreerden om voedsel en leefruimte, maar zijn vermoedelijk nooit in oorlog geweest. Toch stierven de Neanderthalers zo'n 28.000 jaar geleden uit. Slechts 12.000 jaar geleden zijn ook de hobbits uitgestorven, mogelijk als gevolg van een vulkaanuitbarsting.

Momenteel bestaat de unieke situatie dat maar één mensensoort de aarde bevolkt, hoewel er wel duidelijke verschillen zijn tussen de rassen op de verschillende continenten. Als de huidige wereldbewoners niet zoveel tussen de verschillende werelddelen zouden migreren, zouden de huidige bevolkingsgroepen de kans krijgen om zich tot verschillende soorten te ontwikkelen, zoals dat vroeger bij de andere mensachtigen ook is gebeurd.

Hoe meer mensen begrijpen van hun eigen evolutie, hoe meer ze inzien dat de mens net als alle andere organismen slechts een product is van zijn omgeving. En zoals de eerste vis op het droge met zijn nieuw verworven pootjes het hele land veroverde en akkerwinde de tuin overwoekert door zijn ingenieuze voortplanting, zo heeft de mens zijn intelligentie gebruikt om de soort succesvol te maken.

De naakte aap van Desmond Morris werd veertig jaar geleden geschreven, maar is nog altijd een van de best verkopende boeken over de mens.
The Third Chimpansee van Jared Diamond geeft een goed overzicht van de opkomst van de moderne mens, net als *African Exodus* van Chris Stringer. Steve Olson gaat in *Mapping Human History* diep in op methodes om met DNA afstamming van de mens in kaart te brengen. In *Oermensen in Nederland* schrijft de Leidse hoogleraar Wil Roebroeks over sporen van de eerste mensen in eigen land.

→ Naast onderzoek aan DNA kan ook de verspreiding van talen iets zeggen over de manier waarop mensen de aarde bevolkt hebben. De Austronesische talen, bijvoorbeeld, worden gesproken op bijna alle eilanden van de Indische en Stille Oceaan, van Madagascar tot Hawaii, Paaseiland en Nieuw Zeeland. Analyse van deze 1269 verschillende talen doet vermoeden dat deze volkeren ooit van het Chinese vasteland naar Taiwan gemigreerd zijn en daarvandaan naar de Filipijnen, Indonesië en ten slotte de rest van de eilanden in de twee oceanen.

VOEDSEL

Te weinig eten, zeker te weinig
vitaminen, doet het menselijke
lichaam haperen, maar te veel eten
baart net zo veel zorgen

Van gebrek naar overvloed

MICHELLE VAN ROOST

→ De mens is een van de weinige dieren die niet zelf vitamine C kan aanmaken. Sommige andere vitaminen bleek de mens bij nader inzien juist wel aan te kunnen maken. Een speciaal geval is vitamine D3, dat via een aantal stappen uit cholesterol aangemaakt kan worden, een stof die het lichaam zelf in voldoende hoeveelheid kan maken. Voor de laatste stap, die zich in de huid afspeelt, is echter ultraviolet licht met een golflengte van 300 nanometer nodig. Daarom kan gebrek aan zonlicht tot een tekort aan deze vitamine leiden.

EEN GEZOND MENS HEEFT ONGEVEER EEN MAANDVOORRAAD VITAMINE B1 in zijn lichaam. Als er geen vitamines meer binnenkomen, snoepen spieren, zenuwen en hersenen de voorraad beetje bij beetje op. Na een week of vier is er niets meer van over. Omdat spieren, zenuwen en hersenen niet zonder kunnen, wordt het kortetermijngeheugen aangetast en wordt bewegen en lopen moeilijker. De potentieel dodelijke ziekte die een vitamine B1-gebrek veroorzaakt, heet daarom beri-beri, 'ik kan niet, ik kan niet' in het Singalees.

Beri-beri komt in Nederland nog voor bij alcoholisten met het syndroom van Korsakov. De alcohol heeft het lichaam dan zo aangetast, dat het amper nog B1 opneemt. In Australië wilde men daarom B1 aan het bier toevoegen.

Naast beri-beri zijn er talloze andere gebreksziekten, bijvoorbeeld scheurbuik door een gebrek aan vitamine C en nachtblindheid door een tekort aan vitamine A. Tekorten verstoren de stofwisseling. Hierdoor hopen zich te veel giftige stoffen in het lichaam op of wordt er te weinig van een specifieke stof aangemaakt.

Eeuwenlang hebben gebreksziekten veel levens geëist, maar indirect ook geleid tot een doorbraak in de voedingswetenschap. Nog geen honderd jaar geleden dacht men namelijk dat je alleen ziek kon worden van giftige stoffen of ziektekiemen. Het revolutionaire idee dat ook tekorten ziekten veroorzaken, volgde uit onderzoek dat Christiaan Eijkman en Gerrit Grijns eind negentiende eeuw deden naar de beri-beri-

Christiaan Eijkman

epidemie in Nederlands-Indische gevangenissen.

Eijkman, die in 1929 de Nobelprijs voor medicijnen won, en Grijns vermoedden dat witte rijst, het gevangenisvoedsel, de bron van de epidemie was. De rijst zou giftig worden door ziektekiemen of het bereidingsproces. De onderzoekers experimenteerden met kippen die aan beri-beri leden, maar na tien jaar vruchteloos onderzoek mochten zij de gevangenisrijst niet langer gebruiken en waren zij aangewezen op de plaatselijke vliesrijst. De kippen genazen miraculeus. Allereerst dacht men dat er een soort 'tegengif' in het vlies van de rijst zat. Enkele jaren later werd ontdekt dat de ziekte veroorzaakt wordt door een gebrek aan een essentiële microvoedingsstof, die het lichaam zelf niet kan aanmaken: vitamine B1.

De gedachtegang van essentiële microvoedingsstoffen leidde tot de ontdekking van vitamines. Begin 1900 werden twee van die essentiële stoffen in melk ontdekt, factor A en B. 'Factor' omdat de chemische structuur nog niet bekend was. Factor B werd al snel geïdentificeerd als een stikstofverbinding (thiamine). De hele groep factoren heet sinds 1913 vitaminen, naar 'vita' dat leven betekent en 'amine' van de stikstofverbinding. Later werd duidelijk dat niet alle vitaminen een stikstofverbinding hebben en dat ze niet de enige onmisbare regulerende stoffen voor de stofwisseling zijn.

Ook van te weinig essentiële mineralen kun je ziek worden. Bloedarmoede is het gevolg van ijzertekort, krop (vergrote schildklier) van jodiumgebrek. Ook tekorten aan vetzuren als linoleenzuur verstoren de stofwisseling. Gelukkig zijn de meeste gebreksziekten in Nederland verleden tijd, al neemt het aantal mensen met een vitamine D-tekort in Nederland toe, met name onder allochtone vrouwen, bejaarden en kleine kinderen, doordat ze te weinig zonlicht op hun huid krijgen om voldoende vitamine D aan te kunnen maken. Om dit te compenseren worden sommige voedingsmiddelen verrijkt. Zo worden in Nederland extra vitamine A en D aan margarine toegevoegd en jodiumzout aan brood.

Terwijl tekorten honderd jaar geleden nog grote problemen veroorzaakten, kampt Nederland tegenwoordig met de gevolgen van overvloed. Bijna de helft van de Nederlanders lijdt aan overgewicht. Daarom richt de voedingswetenschap zich in Nederland voornamelijk op het bestrijden van welvaartsziekten als diabetes, harten vaatziekten en sommige vormen van kanker. Ook wordt onderzocht of welvaartsziekten bestreden kunnen worden met hogere doseringen vitaminen. Tegelijkertijd gaat het onderzoek naar de bestrijding van tekortziekten in ontwikkelingslanden verder. Zo worden er plantenrassen ontwikkeld die rijk zijn aan provitamine A tegen nachtblindheid.

Elk voedingsonderzoek – zowel naar welvaartsziekten als gebreksziekten – begint in principe met observatie van gedrag en gezondheid. Uit een grote studie in zeven landen bleek in de jaren zestig bijvoorbeeld dat de kans op hart- en vaatziekten erg verschilt per land. De kans dat Finnen daaraan overlijden, is bijvoorbeeld zes keer groter dan bij Grieken. Deze studie is nog steeds een belangrijke bron voor veel experimenteel onderzoek naar het effect van voeding op hart- en vaatziekten. Zo blijkt bijvoorbeeld dat Grieken veel vette vis eten. Vette vis is rijk aan omega-3-vetzuren. Onderzoekers bekijken nu of vette vis daadwerkelijk beschermt tegen hart- en vaatziekten.

Sinds de ontdekking van vitaminen hebben voedingsonderzoekers ook veel andere belangrijke vondsten gedaan. Ze hebben bijvoorbeeld aangetoond dat transvetzuren schadelijk zijn voor de gezondheid. Daarom worden die nu wereldwijd uit voedingsmiddelen geweerd. Ook dit voedingsonderzoek werd gestuurd door ontwikkelingen in de maatschappij, een toenemende sterfte door hart- en vaatziekten. Nu, ruim honderd jaar na de ontdekking van tekorten en vitaminen, staat de voedingswetenschap voor een nieuwe grote uitdaging: Nederlanders minder, maar kwalitatief goed te laten eten.

Weinig onderwerpen zo populair in de boekhandel als voeding, maar het valt niet mee er de zinnige boeken tussenuit te halen. Veel handleidingen voor diëten zijn volgens de meeste deskundigen weggegooid geld, omdat ze nooit een duurzaam resultaat bieden. Critisch over voeding en diëten is de Amsterdamse hoogleraar Martijn Katan in *Wat is nu gezond?* (Bert Bakker) Over duurzame voedselproductie schreef universiteitshoogleraar en ex-diplomate Louise Fresco *Nieuwe Spijswetten* (Prometheus)

→ Adolphe Quetelet was een Belgische astronoom en wiskundige, die als een van de eersten de statistiek toepaste op de sociologie. Zijn belangstelling lag bij de criminologie en de gezondheidszorg. In dat laatste kader ontwikkelde hij tussen 1830 en 1850 de Quetelet-index, het gewicht gedeeld door het kwadraat van de lengte. Hoewel het een ruwe maat is, blijkt het een redelijk adequate manier te zijn om te voorspellen of iemand gezondheidsproblemen mag verwachten als gevolg van over- of ondergewicht. Er bestaan regionale varianten van de index. Een verhouding die voor Europeanen nog normaal is (gewicht gedeeld door kwadraat van de lengte is 25), geldt voor Aziaten reeds als overgewicht.

GETAL VAN AVOGADRO

40

Tussen het atoom en de zichtbare

wereld staat een niet te bevatten getal

van 24 cijfers

Een simulatie laat zien hoe moleculen over-
springen naar de kop van een Atomic Force
Microscope

De brug tussen klein en groot

CHARLES MATHY

→ Amedeo Avogadro was een telg uit een adellijke familie uit Piedmonte, de streek rond Turijn. Van zijn privéleven is niet veel bekend, behalve dat hij er revolutionaire gedachten op na hield die rond 1800 niet altijd op prijs werden gesteld door autoritaire machthebbers. Hoewel hij 36 jaar lang hoogleraar natuurkunde was aan de universiteit van Turijn (met een onderbreking van tien jaar vanwege zijn politieke denkbeelden), werkte hij geïsoleerd en publiceerde weinig. Het artikel uit 1811 waarin hij zijn wet openbaarde werd nauwelijks opgemerkt. Pas vier jaar na zijn dood in 1856 werd zijn wet wetenschappelijk bewezen.

EEN VAN DE BELANGRIJKSTE NATUURCONSTANTEN IS NOOIT EXACT gemeten. 6,0221415 maal 10 tot de macht 23 is de best bekende waarde van het getal van Avogadro. Dit getal illustreert dat er in de natuur sterk uiteenlopende schalen voorkomen. Het getal van Avogadro, aangeduid als N, vormt een brug tussen het kleine (de wereld van atomen) en het grote (auto's, stroopwafels).

Men noemt een verzameling van N objecten een mol, een eenheid die door scheikundigen even vaak wordt gebruikt als het lichtjaar door sterrenkundigen, een manier om een heel groot getal toch op een menselijke schaal te benoemen. Om een idee te geven hoe groot het is: een mol autodrop zou genoeg zijn om de hele aarde te bedekken met een kilometer dikke laag dropjes.

In de negentiende eeuw dachten fysici over de hele wereld na over atomen. De Italiaan Amedeo Avogadro kwam in 1811 met zijn hypothese: twee gassen met gelijke druk, temperatuur en volume bevatten hetzelfde aantal deeltjes. Hij had gelijk, alleen had hij zelf geen idee over het aantal atomen in een gas. De Duitse fysicus Hermann Loschmidt kon in 1865 voor het eerst het getal van Avogadro bepalen op basis van formules van de Brit James Clerk Maxwell, die de diameter van moleculen in verband bracht met de afstand die ze afleggen voordat ze op andere moleculen botsen.

Loschmidt bepaalde deze afstand door te kijken naar de snelheid waarmee

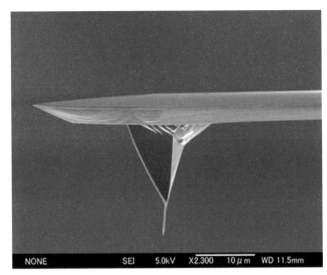

→ De Atomic Force Microscope (AFM) bestaat uit een naaldje dat een oppervlak volgt, een beetje zoals de naald van een grammofoon, maar dan vele malen kleiner. De naald van een AFM zit vast aan een flexibele kop met een spiegelende bovenkant. Als de naald over een hobbeltje gaat, verandert de hoek van de spiegel, zodat het laserlicht dat erop gericht wordt anders reflecteert. Uit dat gereflecteerde licht wordt vervolgens een 'beeld' samengesteld van het betaste oppervlak.

twee verschillende gassen mengen. Daarmee kon hij de diameter van een molecuul bepalen, en daarmee het getal van Avogadro. In Duitsland heet het getal daarom nog steeds het getal van Loschmidt.

In de aardatmosfeer bevindt zich ongeveer het kwadraat van dat aantal moleculen: 10^{44}. Die bewegen gemiddeld met een snelheid van 1800 meter per seconde door elkaar, veel sneller dan een kogel of een vliegtuig. Deze moleculen vliegen voortdurend tegen alles en iedereen aan. Dat klinkt gevaarlijker dan het is. Ze zijn voelbaar als de luchtdruk die nodig is om te ademen en die voorkomt dat bloedvaten uit elkaar spatten.

Getallen zo groot als dat van Avogadro komen in de natuur veel vaker voor. Zo is het aantal sterren in het zichtbare gedeelte van het heelal bijna even groot, net als het aantal zandkorrels op aarde.

Om te illustreren hoe snel machtsverheffingen enorme getallen opleveren, kun je bijvoorbeeld een papier steeds verder dubbelvouwen. Na twintig keer vouwen is het even dik als een voetbalveld lang is, zij het wel heel smal. Zeventien keer vouwen later is het papier even dik als de diameter van de aarde. Even doorzetten: nog dertien keer vouwen, het papier bereikt de zon. Nog vijftig keer vouwen (voor een totaal van honderd keer) en dan is het velletje ongeveer even dik als het zichtbare heelal: zo'n dertien miljard lichtjaar, oftewel honderd miljoen miljard miljard kilometer.

Op eenzelfde manier is het mogelijk op een kat in te zoomen, steeds met vergrotingen van een factor tien. Tussen haakjes staat in het volgende stukje hoe vaak er ingezoomd is. Na de eerste tienvoudige vergroting (1) lijken haarluizen een centimeter lang. Weer twee keer inzoomen, dus een factor honderd verder (3): een haar lijkt nu vijf centimeter dik. Nog eens honderd keer zo nauwkeurig (5): cellen zijn zichtbaar, en daarbinnen de kern van de cel. Drie keer inzoomen (8): chromosomen. De kat is nu even groot als de aarde. Weer een factor tien (9):

de helixstructuur van het DNA, de bouwsteen van leven. Nog een vergroting (10): moleculen, opgebouwd uit atomen. De kern van de atomen is op deze schaal een stipje, eromheen hangt een elektronenwolk. Weer duizend keer nauwkeuriger (13): het beeld schiet door de elektronenwolk heen, en de kern van het atoom wordt goed zichtbaar, met zijn protonen en neutronen. Weer honderd keer vergroot (15): de structuur binnen de protonen en neutronen is zichtbaar, de quarks. Hoe de wereld er precies uitziet op deze schaal weet niemand.

Dan volgt nog een grote stap, twintig keer verder, wat het totaal brengt op 35 vergrotingen met een factor 10: hier begint de zogeheten Planckschaal. Fundamentele theorieën van het universum spelen zich op deze schaal af. Experimenteel is deze schaal niet direct bereikbaar. Een deeltjesversneller die op deze schaal zou kunnen 'kijken' zou even groot moeten zijn als het heelal.

De natuur bevindt zich dus vaak op een schaal die voor mensen onvoorstelbaar is. Toch slagen natuurkundigen er met simpele experimenten en analytisch vermogen in om veel bloot te leggen. Zij krijgen steeds meer in beeld wat op basis van theorie al bekend was. Zo is het tegenwoordig mogelijk met de Atomic Force Microscope prachtige plaatjes te maken waarop de elektronenwolkjes, zo'n tachtig jaar geleden voorspeld door de kwantummechanica, te zien zijn. Voor nog kleinere details, op de Planckschaal van ongeveer 10^{-34} cm., moeten wetenschappers zich, net als Avogadro in de negentiende eeuw, redden met indirecte experimenten. En goed nadenken.

Om gevoel te krijgen voor verhoudingen in de fysische werkelijkheid is er de film *Powers of Ten* uit 1977 van de befaamde ontwerpers Ray en Charles Eames, die bijvoorbeeld op YouTube te bekijken is. Het idee voor de film was van de Nederlandse pedagoog Kees Boeke. Eenzelfde reis, maar met meer natuurkunde, langs de schalen van de werkelijkheid is te vinden in het boek *Atom* van Lawrence Krauss. IBM, de uitvinders van de atoommicroscoop hebben een virtueel museum met de meest spectaculaire opnames met hun apparaten op almaden.ibm.com/vis/stm/gallery.html.

CHAOS

4 1

Processen, van het weer tot
files en de aandelenbeurs, laten
zich beschrijven met eenvoudige
regels, maar de veelheid ervan
maakt voorspellen moeilijk

De Lorenzattractor is een grafische weergave van een op het
oog stabiel systeem dat ineens kan omklappen. Wanneer
zo'n moment zich voordoet, valt niet te voorspellen

Onvoorspelbare gevolgen

MARTIN VAN HECKE

→ Veel systemen zijn niet helemaal chaotisch, maar bevatten een paar plekken waar chaos toeslaat. Anders gezegd: op veel plekken kan een vlinder fladderen wat hij wil, een orkaan zal er nooit van komen. Vaak komt chaos voor op een plek waar verschillende lucht- of vloeistofstromen samenkomen, bijvoorbeeld de boeg van een schip of een vliegtuigvleugel. Een van de pioniers die dit gebied wiskundig verkenden, is de Groningse hoogleraar Floris Takens. Dit is belangrijk om te komen tot ontwerpen van schepen en vliegtuigen die minder weerstand ondervinden en dus zuiniger omgaan met brandstof.

DE NATUUR OM ONS HEEN LAAT ZO'N ENORME RIJKDOM ZIEN DAT HET moeilijk voorstelbaar is dat dit alles uit een aantal simpele regels volgt. Toch beschrijft een kleine hoeveelheid natuurwetten het gedrag van de natuur. Het is verleidelijk te denken dat je met deze wetten dan ook simpelweg de natuurverschijnselen kunt verklaren en voorspellen. Maar het precies beschrijven van het rollen van een dobbelsteen, de beweging van een zwerm vogels, het ontstaan van een regenbui of de formatie van files is problematisch, hoewel deze verschijnselen wel degelijk uit de natuurwetten volgen.

Deze problemen zijn te vergelijken met schaken. De regels zijn eenvoudig te leren, maar daarmee ben je nog geen goede schaker. De regels van het spel en het spel zelf zijn twee verschillende dingen. Hoe je goed moet schaken, volgt niet één-twee-drie uit de regels.

Wetenschappers, en in het bijzonder natuurwetenschappers, zien zich voor hetzelfde soort probleem gesteld. De simpele natuurwetten zijn daarbij de regels, terwijl het rijke gedrag van de natuur het spel is. Natuurlijk zijn simpele systemen, zoals een enkele stuiterbal, prima te beschrijven. Maar als er duizend stuiterballen op een trillende plaat rondspringen en rondbotsen, wordt het systeem complex: de beweging van alle ballen is niet meer simpelweg de som van duizend enkele ballen.

Zelfs als het lukt modellen in de computer door te rekenen, dan nog zijn

Donderwolken boven het Amazonegebied, gefotografeerd vanuit de Space Shuttle

zij vaak intrinsiek onvoorspelbaar: ze zijn chaotisch. Wie het weer bijvoorbeeld wil voorspellen, moet behalve een weermodel (de regels) ook de toestand van het weer nu weten. Hoe nauwkeurig de meting ook verricht wordt, er is altijd een meetfout. Voor chaotische systemen groeit deze fout zo snel dat de voorspelling al vlug waardeloos wordt. Dit werd in 1963 door de wis- en weerkundige Edward Lorenz ontdekt.

De slechte voorspelbaarheid van het weer ligt dus niet aan de meteorologen, maar aan het chaotische karakter van het weer. Dit is de reden dat de onzekerheid in de weersvoorspelling na een paar dagen sterk begint op te lopen, zoals tegenwoordig duidelijk in de KNMI-grafiekjes voor de temperatuur te zien is.

Toch organiseert zich in alle chaos vaak weer nieuw gedrag: ontelbaar veel trillende atomen geven de sensatie van één temperatuur, miljarden zenuwcellen leiden tot één werkend geheugen. Dit ontstaan van spontane orde uit chaos wordt emergentie genoemd.

De komst van de computer heeft meer inzicht in emergentie gegeven. Zo is het met computermodellen mogelijk het ontstaan van files, zwermen van vogels en insecten te simuleren. De individuele automobilisten, vogels en insecten zijn er absoluut niet op uit om zich zo te organiseren – het ontbreekt vogels en insecten simpelweg aan de hersencapaciteit, er is geen leider of vooropgezet plan.

Maar als de individuen zich aan simpele regels houden, vertonen zij samen wel het bekende gedrag. Als bijvoorbeeld in een computermodel vastligt dat automobilisten niet precies allemaal even hard rijden en tegelijkertijd botsingen met hun voorligger proberen te vermijden, dan voorspelt het model correct dat er bij druk verkeer verstoppingen en files ontstaan. Vergelijkbaar: als de software zegt dat vogels ongeveer dezelfde richting uit vliegen als hun buren, dan rolt er direct een verbazingwekkend realistische zwerm vogels uit.

Complex gedrag kan dus ontstaan uit de interacties van actoren (automobilisten, vogels) die zelf simpele regels volgen. In deze voorbeelden zijn de regels een benadering, geen fundamentele natuurwet. Maar er zijn ook legio voorbeelden waarbij het collectieve gedrag de optelsom is van actoren die wel aan precieze natuurwetten voldoen. Zo organiseren de krachten in een stapel ballen zich in ingewikkelde patronen, die krachtnetwerken genoemd worden. Voor het bouwen van een dijk is het belangrijk deze patronen te kennen omdat die netwerken ook in zandhopen optreden. De precieze vorm van de netwerken is echter weer zeer moeilijk te voorspellen.

Het inzicht dat complex gedrag uit simpele regels kan voortkomen, geeft de hoop dat zoiets complex als filevorming op een simpele manier te modelleren valt, zodat ook valt door te rekenen wat de beste manier is om files tegen te gaan. Aan de andere kant zijn er veel systemen, of het nu dobbelstenen, het weer, de beurs, of de economie is, die chaotisch gedrag vertonen en onvoorspelbaar zijn.

Filemaatregelen zouden dus wel eens heel anders kunnen uitpakken dan je naïef zou verwachten. De studie van complexe systemen raakt daarmee aan de aard van wat mensen kunnen weten en brengt grenzen aan de voorspelbaarheid in kaart.

De publieke belangstelling voor chaostheorie was op zijn hoogtepunt in de jaren tachtig en negentig van de vorige eeuw. Uit die tijd stamt de klassieker *Orde uit chaos* van de Belgisch-Russische Nobelprijswinnaar Ilya Prigogine, dat hij schreef samen met Isabelle Stengers.
Een andere klassieker is *Chaos* van James Gleick, dat al in 1988 het ontstaan en de opkomst van de chaostheorie beschreef. Op internet zijn op diverse adressen Java *applets* beschikbaar waarmee gebruikers zelf aspecten van chaos kunnen verkennen. Het onderwijsmuseum Museon in Den Haag heeft enkele demonstratiemodellen van chaotische systemen.

ROBOTS

42

Het menselijk bestaan is nu nog te wanordelijk voor robots, maar er wordt aan ze gesleuteld

Sensoren, algoritmes, motoren

MARTIJN WISSE

→ Waarschijnlijk de bekendste op een mens lijkende robot is Asimo van Honda, die eruit ziet als een kind in een ruimtepak. Asimo kan lopen met snelheden tot zes kilometer per uur en heeft twee camera's die hem in staat stellen stereoscopisch te zien en onder andere gezichten te herkennen. Verder kan hij een dienblad optillen en ergens bezorgen, maar dan moet hij wel langzamer lopen, wil hij zijn evenwicht bewaren.

EEN ROBOT BESTAAT UIT SENSOREN DIE INFORMATIE VERZAMELEN, algoritmes die de informatie verwerken en actuatoren, zoals motoren, die daarnaar handelen. Dat geldt voor de volautomatische armen die auto's in elkaar zetten, voor machines die chips maken, maar ook voor autonome robots zoals onbemande spionagevliegtuigjes, marsrobots of de veel verkochte stofzuigrobots.

Toch denken mensen bij het woord robot niet direct aan deze machines, maar eerder aan de mensachtige Terminator. Logisch, want het woord 'robot' komt van de Tsjechische toneelschrijver Karel Capek, die het afleidde van het Tsjechische woord 'robota' (arbeid). In zijn toneelstuk *Rossum's Universal Robots* uit 1920 zagen de robots eruit als mensen. Net als de Terminator namen ze de wereld over.

Mensen zien vaak meer in een robot dan er werkelijk achter zit. Sensoren worden zintuigen, algoritmen worden hersenen, motortjes worden spieren. Neem nou de lichtschuwe Braitenberg Vehicles, simpele karretjes met twee aangedreven wielen en een zwenkwiel. Aan de voorkant zit een lichtgevoelige sensor naar links gericht, gekoppeld aan de linkermotor, en rechts zit een sensor gekoppeld aan het rechterwiel. Hoe meer licht, hoe harder de motor draait. Als je tien van die karretjes op willekeurige plaatsen in een donkere kamer zet, en plotseling het licht aandoet, 'vluchten' ze allemaal voor het licht. Mensen zien de emotie 'angst', maar het zijn slechts twee simpele sensor-actuator-verbindingen.

Voetbalrobot

Ook mensachtige robots zijn te zien als 'gewoon' een verzameling van sensoren, algoritmes en motoren. Een mooi voorbeeld zijn de robots die meedoen met de internationale robotvoetbalwedstrijd (RoboCup). Het voetbalspel is voor robots een tussenstap van toepassingen op de gestructureerde fabrieksvloer naar de wanorde van de echte wereld.

Ten eerste moeten deze robots de bal kunnen 'zien'. Hiervoor volstaat een webcam, die zo'n 25 keer per seconde een beeld geeft van bijvoorbeeld 480 bij 640 pixels, eigenlijk maar een matige resolutie. Het kan echter niet veel scherper, want anders kan de robot de informatie niet meer verwerken. Om de randen van voorwerpen te detecteren, moeten de kleur en helderheid van elke pixel vergeleken worden met de omringende pixels. Een groot verschil levert een waarde 1, anders 0.

In dit zwartwitplaatje moet de robot vervolgens lijnen en cirkels herkennen. Hiervoor wordt een speciaal algoritme gebruikt, dat op elke plek in het beeld kijkt of er een cirkel te vinden is. Deze bewerking moet voor elke pixel gedaan worden, en ook nog eens voor verschillende cirkelmaten die hij wil detecteren, want de baldiameter hangt af van de afstand. Deze bewerkingen kosten vreselijk veel rekentijd, en zijn op dit moment de beperkende factor voor robotgezichtsvermogen. Onderzoekers werken hard aan elektronica die enigszins te vergelijken is met het menselijk oog, om dit te verbeteren.

De voetbalrobot moet uit de bewerkte beelden zowel achterhalen waar hij zelf staat als waar alle andere objecten (bal, tegenstanders, doel) staan. Als dat gelukt is, moet de robot de kortste route om de tegenstanders heen naar de bal bepalen. Dit kan bijvoorbeeld met een zogeheten 'breadth-first' zoekalgoritme: in een plattegrond van het speelveld worden korte lijntjes vanuit de robot in alle richtingen getrokken. Vervolgens weer nieuwe lijntjes vanuit ieder eindpunt van die vorige lijntjes, enzovoort. Dat wordt net zo vaak herhaald totdat een van de lijntjes door de bal heen gaat, en niet door een tegenstander. De computer in de robot heeft verschillende algoritmes die dit soort bewerkingen uitvoeren. Samen vormen zij de kunstmatige intelligentie van de robot.

Dan komt het volgende probleem: naar de bal lopen zonder te vallen. Hier wordt veel onderzoek naar gedaan, ook om meer van de menselijke loopbeweging te begrijpen. De simpelste manier (voor een robot) is door het zwaartepunt constant boven de voet te houden. Een snellere en efficiëntere manier is het dynamische lopen zoals de mens dat doet: je laat je voorover vallen maar je zorgt intussen dat je zwaaibeen op precies de juiste plek terechtkomt voor de volgende stap.

De robot moet deze bewegingen voor ieder gewricht zo goed mogelijk uitvoeren. Daarvoor zijn weer de drie elementen nodig. Een sensor meet de hoek van het gewricht. Een regeling (algoritme) berekent het verschil met de gewenste hoek, en bepaalt de motorspanning. Bij een eenvoudige regeling geldt: hoe groter het verschil, hoe groter de spanning. De motorkracht zorgt daardoor dat de gewenste hoek wordt bereikt.

Tot zover is het robotgedrag dus volkomen voorspelbaar. Maar er verschijnen steeds vaker wetenschappelijke berichten over zelflerende robots met tot de verbeelding sprekende termen als 'genetisch algoritme' of 'neuraal netwerk'. Beangstigend? Ook dat valt mee, de voetbalrobot zou bijvoorbeeld zelf kunnen leren welke loopsnelheid het minste energie kost: hij meet het energieverbruik en de afgelegde weg, verandert zijn snelheid een beetje, kijkt of het resultaat beter is, en zo maar door.

'Leren' is dus eigenlijk optimaliseren. Dat komt enigszins in de buurt van het aanleren van een pavlovreactie, maar heeft niets te maken met intelligent menselijk gedrag. Zet de stofzuigrobot dus gerust aan het werk: hij zal zich niet tegen zijn meester keren.

In *Growing up with Lucy* vertelt Steve Grand hoe hij zelf een robot bouwde. Het boek behandelt op een speelse manier alle wetenschap en techniek die een robot nodig heeft. *I, robot* van Isaac Asimov is het bekendste fictionele werk over robots, dat met name invloed gehad heeft op ethisch denken over robots.

→ Het Utrechtse bedrijf Frog AGV is een leverancier van rijdende robots, karretjes die hun positie bepalen aan de hand van bakens die in de vloer zijn aangebracht. Die volgen ze om hun taken te vervullen. Het Universitair Medisch Centrum en het Wilhelmina Kinderziekenhuis in Utrecht hebben bijvoorbeeld drie karretjes die spullen heen en weer transporteren door een ondergrondse tunnel tussen beide gebouwen. Bij Volkswagen in Dresden halen 56 karretjes onderdelen uit het magazijn en bezorgen ze twee verdiepingen hoger op de fabrieksvloer.

COMPUTERS

43

Een apparaat dat met
nullen en enen schuift,
blijkt bijna universeel
toepasbaar

Moederbord van een
moderne personal
computer

Bits die de wereld vereenvoudigen

STAAS DE JONG EN CHRISTIAN JONGENEEL

→ John von Neumann was een wiskundige alleskunner die in 1930 vanwege het opkomende nazisme Hongarije verruilde voor de Verenigde Staten. Hij verrichtte belangrijk werk aan de mathematische logica, de kwantummechanica en de economische speltheorie. In de Tweede Wereldoorlog was hij betrokken bij de ontwikkeling van de atoombom. Ook zijn bemoeienis met de computer kwam uit de oorlogsinspanning voort, want computers werden aanvankelijk gebouwd om banen van bommen door te rekenen.

VAN DE HOMO UNIVERSALIS WORDT VAAK BEWEERD DAT HIJ tegenwoördig is uitgestorven. Hetzelfde gaat in ieder geval niet op voor de universele machine. Die is springlevend. 'Universele machine' is namelijk een ander woord voor 'computer'.

Zo'n drie decennia terug waren computers nog vooral groot, log, mysterieus en ver weg. Tegenwoordig hebben ze een plek gevonden in praktisch ieder huishouden en kantoor, en staan ze ook nog eens allemaal met elkaar in verbinding via internet. Mensen nemen ze op schoot in de trein, wisselen er informatie mee uit over de hele wereld en dragen ze in de vorm van allerlei handige apparaatjes overal met zich mee.

Ongeveer zeventig jaar geleden bedacht de Britse wiskundige Alan Turing een denkbeeldig apparaat, bestaande uit een lees- en schrijfkop, heen en weer bewegend over een oneindige rij symbolen. In feite was deze universele machine een algoritme waarvan je kon bewijzen dat het alle andere algoritmes kon uitvoeren. Dit theoretisch wiskundige model werd met name door het werk van de Amerikaans-Hongaarse wiskundige John von Neumann vertaald naar een tastbaar digitaal apparaat.

Iedere computer, of het nu een mobieltje is of een 'super' die grootschalige rekenklussen klaart, bestaat in de kern uit twee onderdelen: de processor en het geheugen. Die twee zijn met elkaar verbonden door 'de bus', waarmee de processor informatie uit het geheugen ophaalt en weer terugzet. De capaciteit van de bus is een belangrijke bottleneck om de snelheid van computers op te voeren. Daarom hebben veel processoren tegenwoordig ook snel toegankelijk geheugen aan boord, de zogeheten 'cache'.

Processor en geheugen zijn met de buitenwereld verbonden via randapparaten, zoals toetsenbord, muis, beeldscherm, printer, netwerkmodem, gsm-antenne, webcam en nog vele andere. Er zijn ook onderdelen die een soort verlengstuk van de processor en het geheugen vormen. De harde schijf en de geheugenstick zorgen voor opslag van gegevens die niet direct gebruikt worden, terwijl bijvoorbeeld de grafische kaart een eigen processor heeft om ervoor te zorgen dat de beelden op het scherm vloeiend verlopen. Dat kan de centrale processor er meestal niet bij hebben.

Dit concept wordt uitgevoerd door dunne siliciumplaatjes volgepropt met transistoren, maar voor het concept van de computer is dat niet essentieel. Het had ook een door stoom aangedreven raderwerk van reusachtige proporties mogen zijn. De eerste volgens Turings concept gebouwde computer, de Amerikaanse Eniac uit 1946, bestond uit dik 100.000 elektrische componenten, zoals vacuümbuizen en weerstanden, die met de hand aan elkaar gesoldeerd waren. Als hij zijn 150 kilowatt uit het elektriciteitsnet begon te trekken, werd in heel Philadelphia het licht zwakker. Erg praktisch was hij niet: programmeren betekende draadjes loshalen en op een ander manier weer vastmaken. De uitvinding van de transistor kwam dus als geroepen.

Hoe de universele machine ook in hardware gegoten wordt, het blijft noodzakelijk dat de mens aan de gebruikte symbolen en bewerkingen een betekenis toekent. Hoe zijn symbolen aan fysieke gebeurtenissen gekoppeld, en hoe zijn die vervolgens te interpreteren? Een heel simpel symbool als een bit ('1' of '0') kan bijvoorbeeld een lichtpunt op een beeldscherm zijn, dat mensen vervolgens interpreteren als het puntje op een letter i.

Met het bit als atoom van informatie heeft de computer intussen briefpost, bureaublad en boekhoudpapier, kaartenbakken, krant en radio, fotografie en film, telefonie en televisie, en natuurlijk ook muziek doordrongen. Al deze dingen kunnen nu met één apparaat worden gemaakt. Zo beschouwd is de wereld er dankzij deze universele machine een stuk simpeler op geworden.

De computer is ook bruikbaar om de mens en de werkelijkheid om hem heen na te bootsen. Wetenschappers willen graag weten hoe die werkelijkheid in elkaar zit, en hun numerieke simulaties van melkwegstelsels en microscopische structuren in levende cellen leiden tot meer begrip, en nieuwe vragen.

Maar ook kunstenaars zijn de computer gaan zien als gereedschap en medium om op hun manier te spelen met de werkelijkheid. Hollywood maakt dankbaar gebruik van computeranimaties die met de dag levensechter worden. En dagelijks delen hordes mensen via computers en wereldwijde netwerken allerlei fictieve varianten van de werkelijkheid, om daar hun fantasie in uit te leven.

Een klein deel van de informatici houdt zich bezig met het gebruik van de computer om menselijk gedrag na te bootsen. Het maken van die 'kunstmatige intelligentie' blijkt veel moeilijker dan gedacht. Toen de eerste computers gebouwd werden, dachten sommigen dat de apparaten snel de menselijke taal zouden gaan beheersen. Alan Turing bedacht zelfs een test om vast te stellen of een taalvaardige computer geloofwaardig voor een mens kon doorgaan. Tijdens de jaarlijkse Loebner Prize gaan computerprogramma's met elkaar de strijd aan, maar nog steeds heeft er geen een de test doorstaan.

Daarmee ontstaat een opvallende paradox. Het is precies bekend wat een computer is – maar wat een computer allemaal kan doen, wordt nog elke dag verder ontdekt. De enige echte begrenzingen lijken het menselijk voorstellingsvermogen en vernuft.

Electronic brains van Mike Halley is een van de betere boeken over de vroegste computers, omdat het niet alleen Britse en Amerikaanse apparaten beschrijft, maar ook Russische en Australische. Jan van den Ende, docent aan de TU Delft, heeft verschillende boeken over onder meer de Nederlandse computergeschiedenis op zijn naam staan, waaronder het overzichtswerk *Geschiedenis van de rekenkunde, van kerfstok tot computer.* Ook Cordula Rooijendijk beschrijft in *Alles moest nog worden uitgevonden* (Atlas) de komst van de computer naar Nederland.

→ Vlak na de Tweede Wereldoorlog bracht de directeur van het Amerikaanse Bell Laboratories een bezoek aan Philips en adviseerde het bedrijf met haar kennis van elektronica de computermarkt te veroveren voor IBM dat zou doen. Philips was niet geïnteresseerd. Pas in 1956, toen IBM niet meer was bij te benen, bouwde Philips zijn eerste computer. Een paar jaar daarvoor had het Mathematisch Centrum in Amsterdam al een apparaat gebouwd en de PTT verkocht zelfs enkele tientallen computers naar eigen ontwerp aan het buitenland. Aan het begin van de jaren zestig was de Nederlandse computerindustrie doodgebloed.

ZONNESTELSEL

44

Acht planeten en
een hele hoop klein
grut draaien om de
zon, net als bij sterren
elders in het heelal

De Venus Express vlak voor zijn
lancering naar de planeet voor een
missie die duurt tot 2009

Klonten in een schijf sterrenstof

DAPHNE STAM

→ Nederland is een belangrijk centrum van de Europese ruimtevaart, vanwege de vestiging in Noordwijk van ESTEC (European Space Research and Technology Centre), het onderzoekscentrum van de Europese ruimtevaartorganisatie ESA. Hier vindt bijvoorbeeld het ontwerp plaats van satellieten en ruimteverkenners, en worden de resultaten ervan geanalyseerd.

VOOR EEN ROMANTISCH STEL DAT VANAF EEN PLANEET BIJ DE STER Alpha Centauri A naar de nachthemel zou staren, lijkt het zonnestelsel waar de aarde deel van uitmaakt, uit niet meer te bestaan dan een heldere, gele ster. De enige reden om haar aan te wijzen, is dat zij op een afstand van slechts 4,4 lichtjaren één van de dichtstbijzijnde sterren is.

Alleen met een enorme telescoop, voorzien van uiterst geavanceerde instrumenten, zouden astronomen op Alpha's planeet misschien kunnen ontdekken dat die ster met haar zwaartekracht allerlei materiaal in haar grip houdt: vier grote planeten, vier kleinere, ijsdwergen, duizenden asteroïden en kometen, en daartussen wolken stof en klein gruis.

Sterren zoals de zon worden geboren uit reusachtige gas- en stofwolken in het heelal. Als zo'n wolk verstoord wordt, stort hij onder zijn eigen zwaartekracht ineen. In het middelpunt van de wolk vormt zich de ster: een klont materie waarin de druk zo hoog wordt dat waterstof samensmelt tot helium. De enorme hoeveelheid energie die bij deze kernfusie ontstaat (volgens Einsteins formule $E=mc^2$), komt uit de ster tevoorschijn als straling in de vorm van onder meer licht en warmte. De buitendelen van de ineenstortende wolk verzamelen zich in een platte schijf die om de ster heen draait. Planeten ontstaan door het samenklonteren van de schijfdeeltjes. Dicht bij de warme, jonge ster is er vooral rotsachtig materiaal om 'aardachtige' planeten te

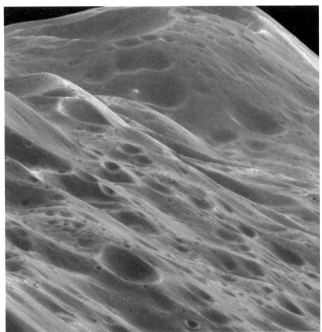

Beeld van Iapetus, een maan van Saturnus, genomen door Cassini

maken, zoals Mercurius, Venus, de aarde en Mars rond de zon. Op grotere afstand van de ster is het kouder en er is ook meer bouwmateriaal: hier worden met gas en ijs reuzenplaneten gemaakt. Om de zon draaien vier van die reuzen: Jupiter en Saturnus; en de verder weg gelegen Uranus en Neptunus.

Alle vier de reuzenplaneten hebben ringen van ijs- en gruisdeeltjes om zich heen, maar die van Saturnus zijn verreweg het grootst. Galileo Galileï zag, in 1610, als eerste iets om Saturnus heen hangen. Hij gebruikte daarvoor een telescoop, zelf gebouwd naar het model waar Hans Lipperheij, brillenmaker te Middelburg, in oktober 1608 patent voor aanvroeg (maar niet kreeg). Het was Christiaan Huygens die als eerste begreep dat Saturnus ringen had.

Ondanks hun respectabele grootte zijn Uranus en Neptunus niet met het blote oog zichtbaar, zoals de andere planeten. Daarvoor staan ze te ver weg. Uranus werd bij toeval gevonden, toen William Herschel in 1781 door zijn telescoop een relatief groot lichtstipje zag.

Al snel bleek dat Uranus zich niet aan de regels hield: de gemeten baan aan de hemel week steeds af van de berekende baan. In 1846 bedacht de Fransman Le Verrier dat deze afwijking veroorzaakt kon worden door de zwaartekracht van een nog onbekende planeet. Hij berekende waar deze zich moest bevinden, waarop Duitser Galle de planeet 'vond'.

Tussen de planeten zijn nog brokstukken samengeklonterd schijfmateriaal overgebleven, bijvoorbeeld de asteroïden tussen de banen van Mars en Jupiter. Buiten de baan van Neptunus bevinden zich brokstukken die uit rots en ijs bestaan. Dankzij verbeterde instrumenten worden de laatste jaren veel nieuwe ijsdwergen gevonden, sommige zelfs groter dan de in 1930 ontdekte planeet Pluto. Daarom werd Pluto in 2006 de status van planeet ontnomen.

Over het bestaan van andere planetenstelsels wordt al lang gefilosofeerd. Zo schreef Christiaan Huygens in *De Wereldbeschouwer*, dat in 1698 (drie jaar na zijn dood) uitkwam: 'Wat weêrhoud ons nu te gelooven, dat een yder van die Starren, of Zonnen, zoo wel als onze Zon, rondom haar Dwaalstarren heeft?' Huygens was overtuigd van het bestaan van 'dwaalstarren' ofwel exoplaneten, zoals planeten bij andere sterren tegenwoordig heten. Maar hij legde ook uit waarom het nog lang zou duren voordat telescopen goed genoeg zouden zijn om exoplaneten te vinden: vanaf de aarde gezien staan deze planeten namelijk heel dicht bij hun ster en vallen ze weg tegen het felle licht. Pas in 1995, bijna 300 jaar later, werd een planeet bij een zonachtige ster gevonden.

Pluto, voor deze in 2006 officieel geen planeet meer mag heten.

Inmiddels zijn er meer dan 250 exoplaneten bekend. Deze zijn overigens nooit door telescopen 'gezien', de meeste onthulden hun aanwezigheid doordat ze met hun zwaartekrachtsveld hun ster als het ware een beetje naar zich toe trekken. De beweging van de ster tijdens een omloop van de planeet wordt gemeten. Dit soort effecten is het beste meetbaar bij reuzenplaneten die snel om hun ster draaien, en dicht bij hun ster staan. De meeste bekende exoplaneten zijn dan ook reuzenplaneten die in enkele dagen om hun ster racen.

Om exoplaneten te vinden als in het aardse zonnestelsel, kleintjes dicht bij hun ster en reuzen ver weg, en om hun eigenschappen ook echt te kunnen onderzoeken, zijn grote telescopen nodig en dan nog het liefst in de ruimte, zonder de storende invloed van de aardatmosfeer. Door het licht van dergelijke planeten op te vangen en te kijken welke kleuren erin ontbreken, valt in principe te achterhalen om wat voor soort planeet het gaat: met of zonder atmosfeer, vloeibaar water, zuurstof of vegetatie. Samen met exobiologen kunnen zo de omstandigheden die leven mogelijk maken, en misschien zelfs sporen van leven, worden bestudeerd.

Het in kaart brengen van aangename exoplaneten komt wellicht nog van pas als mensen hun zonnestelsel ooit willen verlaten, uit nieuwsgierigheid of noodzaak, bijvoorbeeld omdat over ongeveer vijf miljard jaar de brandstof van de zon op is. Misschien staat ergens bij Alpha Centauri A de aarde wel op het lijstje van geschikte planeten.

→ In augustus 2006 besloot de Internationale Astronomische Unie de definitie van planeet scherper te stellen. Pluto werd daarbij gedegradeerd van planeet naar dwergplaneet. De dichtstbijzijnde dwergplaneet is Ceres, die rondjes om de zon draait tussen Mars en Jupiter. Tot 2006 gold Ceres als de grootste planetoïde van het zonnestelsel. Voor haar was de titel – dwergplaneet – juist een promotie. De enige andere dwergplaneet is Eris, ver voorbij Pluto, maar er zijn nog een paar planetoïden die misschien voor promotie in aanmerking komen.

Nederland kent verschillende planetaria, waarvan het Koninklijke Eise Eisinga Planetarium in Franeker het oudste nog werkende model van het zonnestelsel ter wereld bezit. Andere planetaria zijn te vinden in Amsterdam (Artis), Rotterdam en Asten. Het rijk geïllustreerde boek *Fascinerend zonnestelsel* is een van de vele toegankelijke werken van Govert Schilling over dit onderwerp.

TELEFOON

45

Mobiel en internet vervangen
de vaste lijn, maar de basistechniek
van het bellen blijft gelijk

Praten door koperdraad of glasvezel

DAVID VAN PAESSCHEN

→ De eerste proeven met de telefoon in Nederland vonden plaats in 1877. Drie jaar later werd de Nederlandsche Bell Telephoon Maatschappij opgericht. Dit bedrijf en enkele andere werden rond de Eerste Wereldoorlog genationaliseerd. De PTT ontstond. Na de privatisering werd de PTT opgesplitst in een post- en telefoonbedrijf. Dat laatste gaat sinds 1998 door het leven als KPN. Inmiddels zijn in Nederland net als in de beginjaren weer talloze telefoonbedrijven actief.

D E TELEFOON IS MEDE DANKZIJ DE STERKE OPKOMST VAN HET mobieltje in de jaren negentig een alledaags gebruiksgoed geworden. Waren er in Nederland in 1995 drie mobiele telefoonaansluitingen per honderd inwoners, volgens TNO waren het er in 2007 al 107. Wereldwijd belden dat jaar 2,6 miljard mensen mobiel, een verdrievoudiging sinds 2000 en een aantal twee keer zo hoog als de hoeveelheid vaste telefoonaansluitingen.

Dankzij de telefoon kunnen mensen spreken met iemand die zich (ver) buiten gehoorsafstand bevindt. Bovendien is de communicatie synchroon, je kunt direct op elkaar reageren. Dit in tegenstelling tot asynchrone communicatie, zoals fax, e-mail en sms.

Hoewel de telefoon inmiddels een indrukwekkende werking heeft – door het kleine apparaatje in je broekzak kun je een gesprek voeren met iemand aan de andere kant van de aardbol – ligt nog steeds hetzelfde simpele principe eraan ten grondslag. In de telefoon wordt met behulp van een membraan geluid (trillingen van de lucht) omgezet in een elektrisch signaal (elektrische stroom).

Wie spreekt, vormt geluidsgolven die zich voortplanten in de lucht. Deze geluidsgolven brengen het membraan in trilling. Aan het membraan zit een spoel gekoppeld, die vrij om een magneet hangt. Door de trilling van het membraan beweegt de spoel in het aanwezige magnetisch veld, hetgeen een elektrische stroom

teweegbrengt in de spoel. Deze stroom is afhankelijk van de sterkte en de frequentie van de trillingen, dus van het geluidsvolume en de toonhoogte. Het elektrische signaal wordt via een koperen draad geleid naar een andere telefoon, waarin het – via precies de omgekeerde weg – wordt omgezet in een trilling van het membraan aldaar.

Om in contact te kunnen komen met een ander stuurt de telefoon een stroompje, gevormd door druktoetsen of de ouderwetse draaischijf, naar de telefooncentrale, die het stroompje uitleest en vervolgens verbinding legt met een andere centrale (interlokaal bellen) of direct met de juiste telefoon (lokaal bellen). Van de bereikte telefoon zal de bel overgaan en als er iemand opneemt, is de verbinding klaar voor een gesprek.

Er is de laatste jaren in razend tempo van alles veranderd op het gebied van telefonie, maar de moderne vaste telefoon verschilt nog in weinig opzichten van eerdere telefoons. De grootste vooruitgang die het huidige vaste netwerk kent ten opzichte van het vroegere, is de digitalisering van de verbindingen.

Over één koperdraad kunnen meerdere gesprekken worden geleid, door elk gesprek zijn eigen frequentie te geven. Maar het aantal gesprekken dat zo op één draad kan worden gevoerd, is beperkt. Bovendien neemt de geluidskwaliteit af naarmate de gesprekspartners verder van elkaar verwijderd zijn. Bij digitalisering wordt het spraaksignaal opgedeeld in kleine datapakketjes, die om de beurt sterk samengeperst over de verbindingen tussen telefooncentrales worden geleid. Aan de andere kant van de lijn worden de pakketjes weer uitgepakt en zo nodig in volgorde gezet. Dankzij deze methode kunnen er meer gesprekken over één draad geleid worden en is de geluidskwaliteit constant.

In plaats van koper wordt er tegenwoordig veel gebruikgemaakt van glasvezel als verbinding tussen telefooncentrales. Daarvoor wordt de elektriciteit eerst omgezet in licht dat door het heldere glas wordt gestuurd. Doordat het licht in de

Alexander Graham Bell

vezel volledig intern wordt weerkaatst, kan het aan de andere kant van de kabel weer omgezet worden in het oorspronkelijke elektrische signaal (en vervolgens weer in het oorspronkelijke geluid). Op de bodem van de zeeën tussen Engeland, Nederland, Duitsland en de Verenigde Staten ligt een ring van glasvezelkabel met een lengte van 14.000 kilometer. Een lichtsignaal doet er slechts 0,07 seconde over om de hele ring rond te reizen.

Voor de telefoongebruiker is de belangrijkste ontwikkeling natuurlijk dat hij van de draad verlost is. Let wel: ook bij mobiele telefoons gaat het signaal nog steeds grotendeels via kabels. Als je een mobiel gesprek voert, zendt de telefoon radiogolven uit naar de dichtstbijzijnde zendmast. Deze stuurt het signaal vaak gewoon via kabels door naar een centrale in het netwerk. Deze centrales zijn ook gekoppeld aan het vaste telefoonnet, zodat je kunt bellen met wie je maar wilt.

Terwijl het aantal mobiele telefoons razendsnel is toegenomen, neemt het aantal vaste telefoonaansluitingen in Nederland de laatste jaren juist af. Waren er in 2000 nog 62 vaste aansluitingen per honderd inwoners, in 2005 zakte dat naar 59. Niet alleen de mobiele telefoon lijkt de vaste telefoonlijn te gaan vervangen. Relatief nieuw is telefoneren via internet, ook wel VoIP (Voice over Internet Protocol) genoemd. Bij deze techniek worden gesprekken gedigitaliseerd tot datapakketjes die via internet worden verstuurd, net als de datapakketjes die webpagina's bevatten. Bellen via internet is vaak goedkoper dan via de reguliere telefoonaansluiting. Volgens het Centraal Bureau voor de Statistiek belde in 2007 al één op de vier internetters via zijn of haar computer. Twee jaar eerder was dat nog maar zes procent.

De goede oude telefoon lijkt dus langzaam te verdwijnen. Zijn plaats zal worden ingenomen door kleine, multifunctionele, draadloze apparaatjes en software waarmee je kunt bellen via internet. Maar aan de basis van al die technieken staat nog steeds datzelfde simpele principe uit de telefonische oertijd.

Het Museum voor Communicatie in Den Haag komt voort uit het vroegere museum van de PTT en heeft een uitgebreide collectie telefoons.

→ Dat Alexander Graham Bell geldt als de uitvinder van de telefoon is niet zozeer een technisch als wel een juridisch gegeven. Bell en zijn concurrent Elisha Gray deden op dezelfde dag in 1876 een patent-aanvraag. Van Bell staat vast dat hij zijn apparaat pas een paar dagen later werkend kreeg. De Italiaanse immigrant Antonio Meucci was in elk geval eerder, maar was te arm om een patent-aanvraag te kunnen betalen. Door de jaren heen vocht het bedrijf van Bell honderden rechtszaken uit tegen andere uitvinders die meenden de telefoon op hun naam te hebben staan. In 1887 probeerde de Amerikaanse regering het patent ongeldig te laten verklaren, maar ook dat mislukte.

TIJD

46

De zon en de maan
gaven ooit natuurlijke
eenheden voor de tijd.
Maar atomen zijn veel
preciezer

9.192.631.770 trillingen van een atoom

JESPER ROMERS

DE ZON KOMT OP EN GAAT ONDER EN WEER IS ER EEN DAG VOORBIJ. Een meer voor de hand liggende eenheid van tijd dan de dag is er niet. Maar er zijn meer natuurlijke cycli die andere logische tijdseenheden aangeven. Zo vallen elk jaar de bladeren van de bomen en groeien ze later weer aan. En steeds, in evenveel dagen, gaat de maan van nieuw naar vol en weer terug naar nieuw.

In het verband tussen al die ritmes beginnen meteen ook de complicaties. Omdat er geen geheel aantal dagen in een jaar past, is het systeem van schrikkeljaren bedacht: elk vierde jaar duurt 366 dagen. En omdat dat ook weer net te veel is, slaat elke eeuw één schrikkeljaar over. Dan zijn er vanzelfsprekend nog de maand, de tijd die de maan nodig heeft om van nieuwe maan tot nieuwe maan te komen, en de week, die zeven dagen telt en gebaseerd is op het aantal bewegende hemellichamen dat met het blote oog te zien valt: zon, maan en vijf planeten (Mars, Jupiter, Mercurius, Venus en Saturnus).

Sinds 1582 is in veel landen het weefsel van tijdspannes, met weken, maanden, jaren en schrikkeljaren in de zogeheten gregoriaanse kalender samengebracht. Elders duurde dat langer. Rusland bijvoorbeeld gebruikte tot 1922 de oudere, juliaanse variant, die tien dagen achterliep, omdat ze sinds Julius Caesar niet iedere eeuw een schrikkeljaar had overgeslagen.

→ De universele standaardtijd is het geesteskind van de Canadees Sandford Fleming, die in 1876 voorstelde de aarde te verdelen in 24 tijdzones. Ondanks zijn onvermoeibare lobby sloeg het idee maar langzaam aan. Pas in 1929 hadden de meeste landen het idee aanvaard. Bij de keuze voor een tijd laten landen zich niet alleen leiden door hun precieze geografische ligging, maar ook door politieke motieven. Nederland, bijvoorbeeld, zou eigenlijk de Engelse tijd moeten hanteren, maar heeft gekozen voor de Duitse.

Wat iedereen moet weten van de natuurwetenschappen 201

Zonnewijzer in Chicago

→ De zon staat niet altijd exact om twaalf uur op zijn hoogste punt. Dat komt omdat de aarde niet met een constante snelheid om zijn as draait en die as ook kan kantelen. Soms zit er wel een kwartier speling tussen beide. Gemiddeld remt de aarde ieder jaar een beetje af, zodat een dag steeds korter duurt (nu ongeveer 1,5 milliseconde korter dan een eeuw geleden).

Een dag is opgedeeld in 24 uren, een uur in zestig minuten, een minuut in zestig seconden. Dat is duizenden jaren geleden gebeurd in Egypte of Sumerië, toen het twaalftallige stelsel favoriet was voor rekenen (als je je duim gebruikt om te tellen, kom je op de vingerkootjes van één hand tot twaalf). Inmiddels is het tientallige rekenstelsel ingevoerd. Daarom zou het nu handiger zijn om een dag op te delen in tien uren, een uur weer in honderd minuten en een minuut op haar beurt in honderd seconden. Na de Franse Revolutie is dat zelfs voorgesteld, maar de weerstanden waren zo groot dat het nergens is doorgevoerd.

Tot de tweede helft van de negentiende eeuw had elke stad en elk dorp zijn eigen tijd, aangegeven door het ritme van de dag of – later – de kerkklok. Met de komst van de spoorwegen en de telegraaf werd dat onpraktisch en werden de tijdzones ingevoerd.

Om zones en tijdverschillen te kunnen vaststellen, is het om te beginnen nodig de tijd goed te meten. De eerste echt nauwkeurige klok ter wereld was een Nederlandse vinding. Halverwege de zeventiende eeuw patenteerde Christiaan Huygens het eerste slingeruurwerk. Het apparaat veroverde Europa en maakte de weg vrij voor de echte standaardtijd. De klok tikte de uren zo weg dat een etmaal 24 uur duurde. Daaruit volgde vanzelf de duur van minuten en – veel later – ook seconden.

In de klok van Huygens gaf een gewicht aan een slinger het apparaat een vast ritme, dat het uurwerk tik voor tik vooruit zette. Een gewone slinger met een vaste lengte geeft daarbij een kleine afwijking. Huygens corrigeerde op papier (hij bouwde niks zelf) die afwijking met een slimme ophanging. Zo haalde hij een precisie van 10 seconden per dag.

Tegenwoordig is tijd nog veel nauwkeuriger te meten met behulp van de atoomklok, waarmee de seconde is gedefinieerd als 9.192.631.770 trillingen in een atoom cesium-133. De precisie van een atoomklok is daarmee duizelingwekkend. Het duurt ongeveer drie miljoen jaar voordat hij er een seconde naast zit. Dat is zo precies, dat het mogelijk is geworden schrikkelseconden in te voeren, om in de pas te blijven met de alledaagse tijd.

De seconde is een centrale component van het in 1960 afgesproken moderne eenhedensysteem, het Système International of SI. Daarin worden zeven eenheden gedefinieerd: meter, kilogram, seconde, ampère (voor elektrische stroom), kelvin (voor temperatuur), mol (voor aantal deeltjes) en candela (voor lichtsterkte). Dat zouden er nog minder kunnen zijn, door samenhang tussen eenheden die door de natuurwetten worden beschreven. Maar in de praktijk zouden sommige eenheden dan erg moeilijk reproduceerbaar zijn.

Universele natuurverschijnselen als de trilling in het atoom cesium-133 definiëren inmiddels zes van de zeven eenheden in het SI-stelsel. Ze zijn daarmee in principe in elk lab exact te reproduceren, zoals het hoort bij eenheden. De enige uitzondering vormt het kilogram. Dat is gedefinieerd als de massa van één speciale platina-iridium cilinder uit 1879, die in een kluis in Parijs wordt bewaard. Elders in de wereld moet men het met kopieën doen, maar het recept voor een kilogram bestaat niet.

De duizelingwekkende precisie die inmiddels is behaald bij het vaststellen van eenheden, de seconde voorop, roept misschien de vraag op of die niet wat overdreven is. Dat is echter niet zo. In een hightechwereld vol satellietnavigatie en wereldwijd dataverkeer zijn exacte afspraken nodig. Zeker over de juiste tijd.

De meeste populair-wetenschappelijke boeken over tijd gaan over de relatieve tijd van Albert Einstein. *How to build a time machine* van Paul Davies behandelt niet alleen Einstein, maar ook de fysische problemen van tijdreizen. *Waarom het leven sneller gaat als je ouder wordt* van Douwe Draaisma legt een verband tussen tijd en psychologie. Van Paul Davies verscheen ook *About Time* over het ontstaan van de tijd. In *The End of Time* legt Julian Barbour uit dat het vervliegen van tijd een illusie is, die echter voortkomt uit onze natuurwetten.

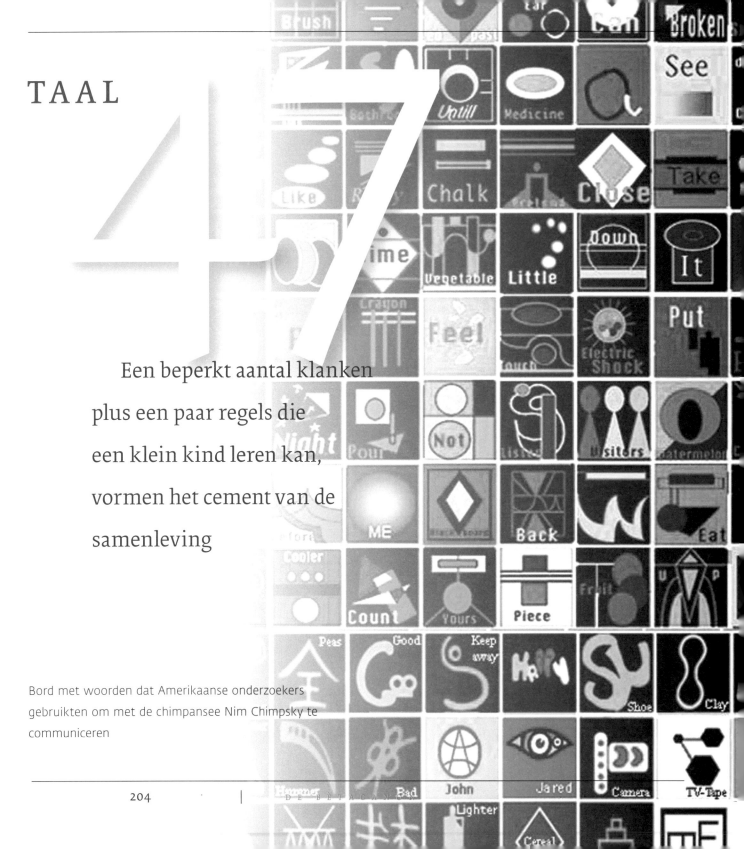

TAAL

47

Een beperkt aantal klanken plus een paar regels die een klein kind leren kan, vormen het cement van de samenleving

Bord met woorden dat Amerikaanse onderzoekers gebruikten om met de chimpansee Nim Chimpsky te communiceren

Talloze gedachten in een paar woorden

ROBERT VAN ROOIJ

D E MENS IS EEN SOCIAAL DIER, DAT OOK NOG EENS MEER DAN ANDERE dieren uitgebreide kennis heeft verworven over de wereld om zich heen. Taal is daarbij letterlijk van levensbelang. Taal maakt complexe sociale verbindingen en gemeenschappen mogelijk, zoals alleen mensen die kennen. En dankzij taal kunnen mensen in detail hun kennis delen met bijvoorbeeld hun kinderen. Dit stelt elke nieuwe generatie in staat een uitgebreide (wetenschappelijke) kennis te verkrijgen over de wereld. Zonder dat ze deze helemaal zelf moet vergaren.

Mensen zijn niet de enige organismen die communiceren. Apen, bijvoorbeeld, kunnen andere apen attent maken op dreigend gevaar door het geven van waarschuwingstekens. Maar in tegenstelling tot andere organismen zijn mensen in staat om een vrijwel onbeperkt aantal gedachten uit te wisselen. Daarvoor gebruiken mensen spraak, maar ook het schrift.

Anders dan bij apen is het gebruik van taal bij mensen niet alleen erfelijk vastgelegd. Mensen moeten als kind hun moedertaal leren. Taal moet dus leerbaar zijn. Dat kan alleen als die taal zich volgens regels gedraagt. Taalwetenschap onderzoekt die regels.

Een fundamenteel kenmerk van taal is dat ze gebruikmaakt van het onderscheid tussen subject (naamwoord) en predicaat (werkwoord). In plaats van het

→ Dat sommige talen meer op elkaar lijken dan andere, was altijd al bekend. In de zeventiende eeuw begon het ontdekkingsreizigers op te vallen dat de talen van India leken op sommige in Europa. De eerste verklaring hiervoor kwam van Marcus Zuerius van Boxhorn, een Leidse hoogleraar, die aannam dat een hele reeks talen, van Nederlands tot Perzisch, geëvolueerd was uit een gezamenlijke voorvader die hij Scythisch noemde. Het idee sloeg indertijd niet aan, maar inmiddels wordt deze taal Proto Indo-Europees genoemd en hebben taalkundigen ontdekt dat de evolutie van talen soms welhaast mathematische regels volgt.

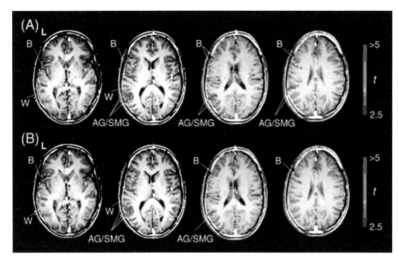

MRI-scan van de hersenen bij taalverwerking

→ De verwerking en productie van taal vindt plaats in totaal verschillende gebieden in de hersenen. Mensen met een defect in het gebied van Broca, bijvoorbeeld, kunnen wel betekenisvolle dingen zeggen, maar geen grammaticaal correcte zinnen maken, terwijl precies het omgekeerde geldt voor mensen met een beschadigd gebied van Wernicke. Bij mensapen zijn deze delen van de hersenen veel minder ontwikkeld, zodat ze slechts rudimentair taal kunnen leren.

gebruik van negen aparte woorden, maakt taal gebruik van drie naamwoorden ('Jan', 'Piet' en 'Marie') en drie werkwoorden ('slaapt', 'speelt', en 'rent') om de negen verschillende gedachten uit te drukken: 'Jan slaapt', 'Jan speelt', 'Jan rent', 'Marie slaapt', 'Marie speelt', enzovoorts.

In het algemeen kunnen mensen op deze manier veel meer gedachten uitdrukken dan mogelijk zou zijn als ze voor iedere gedachte een nieuw woord zouden moeten hebben. Het uitdrukken van de negen gedachten door gebruik te maken van combinaties van woorden, stelt kinderen ook in staat taal snel onder de knie te krijgen. Ze hoeven immers slechts zes woorden te leren, in plaats van negen.

Voorwaarde hierbij is wel dat ook kinderen al hun omgeving op een gestructureerde wijze 'zien': dat ze individuen als iets fundamenteel anders beschouwen dan activiteiten. Veelal wordt aangenomen dat kinderen een aangeboren manier hebben om naar de wereld te kijken, en dat dit een voorwaarde is om een taal überhaupt te leren.

Wanneer taal alleen woorden zou hebben die verwijzen naar individuen en activiteiten, was het gebruik ervan nog steeds zeer beperkt. Mensen zouden het niet kunnen hebben over gebeurtenissen die nog niet hebben plaatsgevonden of zelfs helemaal niet zullen plaatsvinden. Het zou bijvoorbeeld onmogelijk zijn plannen te bespreken die gaan over de toekomst, of uit te drukken hoe verschillende gedachten met elkaar in verband staan.

Om het over dit soort dingen te hebben, bevat taal woordjes als 'misschien', 'niet', en 'als... dan'. Zulke woordjes verwijzen zelf nergens naar, maar kunnen worden gebruikt in zinnen om veel nieuwe, en abstracte, betekenissen uit te drukken. Het succesvol gebruik en de leerbaarheid van zulke woordjes vereisten wel weer een en ander van de spreker. Die moet zich bijvoorbeeld een voorstelling kunnen maken van de toekomst, en hoe hij deze zou kunnen beïnvloeden.

Mensen gebruiken taal om te beïnvloeden wat een ander denkt of doet.

Om andermans gedrag te beïnvloeden is het vaak verstandig om direct te zeggen wat je denkt (en ook nog te doen wat je zegt). Maar het is natuurlijk niet altijd nodig of zelfs slim zo direct te zijn. Het is niet altijd nodig, omdat als mensen elkaar goed kennen een half woord dikwijls al genoeg is.

Een noodzakelijke voorwaarde om op zo'n indirecte manier te kunnen communiceren is dat je je in de gedachten van iemand anders kunt verplaatsen. Dat is niet ieder organisme zomaar gegeven. De mens beheerst dat spel wel. Als iemand bijvoorbeeld een huis wil kopen, kan hij met de verkoper maar beter niet in al te enthousiaste bewoordingen over het huis spreken. In zo'n geval is het dus niet slim om precies te zeggen wat je denkt.

Taalwetenschap onderzoekt de regels waaraan mensen zich houden bij het gebruik van taal. Sommige van deze regels zijn heel algemeen en niet taalgebonden. Andere regels zijn juist weer typisch voor het Nederlands. Het feit dat mensen op basis van de betekenis van een naamwoord ('Jan') en een werkwoord ('loopt') de betekenis van een hele zin ('Jan loopt') kunnen berekenen, is niet taalgebonden. Maar dat het woord 'loopt' de betekenis heeft die Nederlanders eraan geven, is puur toeval.

De grammatica van een taal beschrijft wat 'goede' (of grammaticale) en 'foute' zinnen zijn van een taal, en wat hun betekenis is. Taal is daarmee in veel opzichten een heel exact onderwerp. Logici kunnen er de subtiliteiten in redeneringen aan afmeten; neurologen zien de actieve taalcentra in het brein. En zonder woorden was er hoe dan ook van wetenschap geen sprake.

De boeken van Steven Pinker geven een brede kijk op taal en hersenen en het verband tussen beide. *How the Mind Works*, *The Language Instinct* en het recente *The Stuff of Thought* zijn de bekendste. In Nederland is het Max Planck Instituut NICI in Nijmegen gespecialiseerd in functioneel hersenonderzoek, ook op het gebied van taal en taalverwerking.

→ Niet elke rotstekening die iets probeert te vertellen is taal. Daar is pas sprake van als de tekens direct te koppelen zijn aan woorden, aan klanken. De eerste schriften hadden voor ieder woord een teken. Hiervan is Chinees de belangrijkste nog bestaande representant. De volgende stap in de ontwikkeling was een lettergreeptaal, waarvan de ontwikkeling meestal wordt toegeschreven aan de Phoeniciërs, die ook de aanzet gaven voor de volgende stap naar een klankalfabet. De Grieken vervolmaakten dat systeem door klinkers aan het alfabet toe te voegen en legden zo de grondslag voor de 26 letters van het Latijnse schrift, dat een groot deel van de wereld tegenwoordig gebruikt.

八 ba	百 bai	杮 biao	兵 bing	奔 ben	北 bei	丨 l
炮 Pao	兵 bing	并 bin	排 Pai	北 bei	边 bian	
炮 Pao	兵 bing	帕 Pa	把 ba	杮 biao	兵 bing	
杮 biao	兵 bing	帕 Pa	碰 Peng	炮 Pào	兵 bing	

STAD

48

Techniek bepaalt van oudsher de vorm van steden; tegenwoordig zit steeds meer onder de grond

Berlages Plan Zuid

Buizen, kabels en grachten om te wonen

FREDERIC VAN KLEEF

STEDEN LATEN BIJ UITSTEK ZIEN HOE DE MENS ZIJN OMGEVING MET techniek naar zijn hand zet. En wanneer de technische mogelijkheden groeien, verandert de leefruimte vanzelf mee. In de loop der tijd zijn aan de stedelijke ruimte verschillende technische netwerken toegevoegd die voorzien in de behoefte van de bewoners aan mobiliteit, communicatie, hygiëne en energie. Vaak zijn die netwerken onzichtbaar, zoals bij de ondergrondse riolering of elektriciteitskabels, maar evengoed onmisbaar voor het functioneren van de stad. Zulke netwerken stellen randvoorwaarden aan de manier waarop steden worden gebouwd.

De wegen over land vormen een van de vroegste netwerken die de mens ter beschikking had. Toen het wonder van het wiel in Nederland omstreeks 2000 voor Christus Drenthe bereikte, had dat verstrekkende gevolgen voor de ruimte. Dankzij het vervoer per as kon de boerengemeenschap haar leefomgeving uitbreiden, grotere stukken bosgrond ontginnen en zodoende de productie verhogen. Bijna veertig eeuwen lang zouden paard en wagen de verkeersstructuur in steden en dorpen vormgeven.

Ook waternetwerken zijn al vroeg bepalend geworden voor de stedelijke ruimte, getuige de beroemde aquaducten van Rome. Toen het met de aanleg van het aquaduct Marcia in 144 na Christus mogelijk werd om de hoger gelegen heuvels van schoon water te voorzien, bouwden de leden van de stedelijke elite daar en

→ Voordat planoloog een apart beroep werd, waren het doorgaans architecten die gevraagd werden een plan voor een nieuwe wijk te maken. Het eerste plan van Hendrik Berlage voor Amsterdam-Zuid in 1904 was architectonisch prachtig bedacht, maar uit infrastructureel oogpunt zo inefficiënt dat de gemeenteraad hem vroeg een nieuw plan te maken. Dat presenteerde hij in 1914 en drie jaar later werd het goedgekeurd, zodat het bouwen kon beginnen.

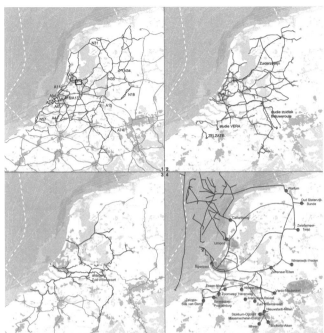

Nederland is zo
volgebouwd dat niet
alleen op lokaal maar
ook op landelijk niveau
een strakke planning van
infrastructuur nodig is

masse hun luxueuze villa's. Dichter bij huis was de Amsterdamse grachtengordel niet alleen een stedenbouwkundige vertolking van de Hollandse Renaissance, maar ook bedoeld om de slechte veenbodem onder nieuwe stadsdelen te ontwateren, de stad te kunnen doorspoelen en om te bevaren.

De uitvinding van het stoomgemaal tegen het einde van de achttiende eeuw bood nieuwe mogelijkheden op het gebied van de waterhuishouding en de stedenbouw. Hierdoor konden grotere gebieden dan voorheen (met windmolens) worden ingepolderd. Met de industrialisatie van Nederland in de tweede helft van de negentiende eeuw brak een periode aan waarin nieuwe netwerken werden ontwikkeld op het gebied van energie, mobiliteit en communicatie.

Met name het verkeer drukte een stempel op de stedenbouw. Er verschenen spoorbanen en treinstations in iedere stad, die tegelijk als 'ijzeren gordels' net zo belemmerend konden werken op een gezonde stadsuitbreiding als vroeger de muren en wallen.

Ook in de binnensteden veranderde in deze periode veel. Urbanisatie en bevolkingsgroei zorgden ervoor dat de straten steeds voller raakten. Om de verkeersdruk te verminderen, werden veel bestaande straten verbreed en werden doorbraken gerealiseerd. George-Eugène Baron Haussman trok zijn boulevards dwars door de middeleeuwse stratenstructuur van Parijs. Daaronder legde hij meteen een stelsel aan van gas-, water- en rioleringsleidingen. Elders veranderden nieuwe sanitaire technieken de stad eveneens. Rioleringen voerden vuil water ondergronds af en maakten de oude afwateringen overbodig. Grachten werden gedempt: het Spui in Den Haag, de Nieuwezijds Voorburgwal in Amsterdam en het Zuiderdiep in Groningen werden volgegooid en opgenomen in het stratenplan.

De Woningwet van 1902 stelde gemeenten met meer dan tienduizend inwoners verplicht nieuwe stadsuitbreidingen te plaatsen in een overkoepelend ontwikkelingskader: het uitbreidingsplan. Beroemde uitbreidingen als het Plan Zuid voor Amsterdam van Hendrik Berlage (1914) of het stedenbouwkundig plan van Lotte

Stam Beese voor de wijk Pendrecht in Rotterdam (1948-1952) zijn zo vastgelegd.

Voor veel civieltechnische netwerken geldt dat niet. Onzichtbaar op de uitbreidingsplannen waren bijvoorbeeld het elektriciteitsnet dat in Nederlandse steden vanaf 1900 verscheen, de tramrails voor de elektrisch aangedreven tram en tot slot het tracé van het ondergrondse rioleringsstelsel. Daardoor is nog maar weinig bekend over het toch niet geringe aandeel van de technische netwerken die niet op de uitbreidingsplannen staan, maar wel degelijk in de stad zijn aangelegd.

In Nederland vormt Groningen een goed voorbeeld van de wijze waarop een onzichtbaar technisch netwerk de stedelijke ruimte heeft beïnvloed. In 1924 viel het langverwachte besluit om in de stad over te gaan op een ondergronds rioleringsstelsel; tot die tijd werden de fecaliën nog in tonnen opgehaald bij de mensen thuis. In hetzelfde jaar ontwierp de directeur van de dienst Gemeentewerken een plan voor een stadsriool. In het ontwerp werd zoveel mogelijk gebruik gemaakt van vrij verval om het centrale hoofdpompstation in het oosten van de stad te bereiken. Zwaartekracht was goedkoper dan pompen. Om die reden werd een groot 'moerriool' rond het zuiden van de stad getrokken. Nog altijd volgt de zuidelijke ringweg rond de stad dat tracé.

Ondergrondse infrastructuur is nog steeds in ontwikkeling. Afval wordt er verzameld en soms getransporteerd, goederen vervoerd, er rijden metro's in rond, glasvezel sluit bewoners en bedrijven aan op de digitale snelweg, er wordt naar aardwarmte geboord, of naar zandlagen om warmte of koude in op te slaan. De stad boven de grond zal er uiteindelijk vanzelf een afspiegeling van worden.

Het zesde deel van het megaproject *Techniek in Nederland in de twintigste eeuw* is een rijk geïllustreerd boek over de bebouwing van Nederland. Naast Amsterdam-Zuid en Pendrecht gelden de Amersfoortse wijk Kattenbroek, de Leidse Merenwijk en de Bijlmermeer als voorbeelden van sterk conceptueel ingerichte wijken.

Werkzaamheden aan het glasvezelnet in Utrecht

→ Sinds eind jaren negentig van de vorige eeuw wordt in Nederland gewerkt aan een glasvezelnet dat reikt tot aan de voordeur van huishoudens of zelfs nog verder naar binnen. Voordeel daarvan zou supersnelle aansluiting op breedband-internet zijn. Inmiddels zijn conventionelere technieken over de televisiekabel echter zo snel en goed, dat volgens deskundigen de komst van de glasvezel voorlopig niet de moeite waard is. Consumenten zien het verschil niet tussen films op bestelling via de kabel of via glasvezel.

MOBILITEIT

49

De komst van
de fiets leidde tot de
moderne individuele
bewegingsvrijheid

Een van de eerste racefietsen, 1914

De fiets als wegbereider van mobiliteit

FRANK VERAART

J EZELF VERPLAATSEN VAN HUIS NAAR WERK, NAAR VRIENDEN EN OP vakantie is onderdeel van het hedendaagse leven. De gemiddelde Nederlander verplaatst zich bijna achttien keer per week, ruim negen keer met de auto, bijna acht keer lopend of met de fiets en de rest met openbaar vervoer. In 2005 waren alle vervoerswijzen goed voor 194 miljard reizigerskilometers, waarvan 77 procent met de auto, elf procent met openbaar vervoer en zeven procent met de fiets werd afgelegd.

Mobiliteit lijkt een onmisbaar deel van het leven, dat wordt omgeven met individuele keuzes en vrijheid, maar ook problemen zoals files, 18,5 miljoen ton CO_2-uitstoot en stijgende brandstofprijzen. Deze moderne associaties met mobiliteit zijn verworvenheden uit de twintigste eeuw, door de ontwikkelingen van nieuwe individuele transportmiddelen. De fiets was daarbij een belangrijke trendsetter.

De eerste fiets was dé hit op de wereldtentoonstelling in Parijs van 1867. Het individuele vervoermiddel was het gadget voor jongeren van de nouveau richc. Deze fietsen werden direct op de as van het voorwiel aangedreven, zoals dat nu nog steeds gebeurt bij kinderdriewielers. Om de snelheid te verhogen, werden ze uitgerust met een groot voorwiel en korte cranks. De beenlengte vormde de uiterste grens. De positie van de rijder kwam recht boven het wiel te liggen. De snelheid van de fiets nam daarmee wel toe, maar het fietsen vereiste steeds meer vaardigheden.

→ Een grote sprong vooruit voor alle soorten voertuigen was de uitvinding van de luchtband door de Schot Robert Thomson in 1846. Bij gebrek aan goed rubber werd het geen grote hit. Dat kwam pas toen de Schotse dierenarts John Dunlop hem veertig jaar later opnieuw uitvond. In 1891 bedachten de Franse broers Michelin een band die niet aan het wiel vastgelijmd was, maar die er makkelijk afgehaald kon worden voor reparaties. Vandaag de dag bestaan banden uit verschillende lagen rubber, textiel en staaldraad.

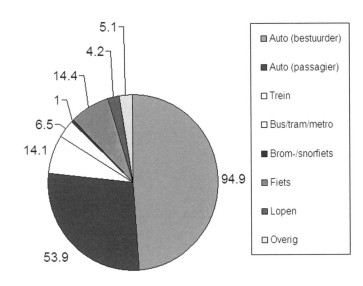

5.1
4.2
14.4
1
6.5
14.1
53.9
94.9

- Auto (bestuurder)
- Auto (passagier)
- Trein
- Bus/tram/metro
- Brom-/snorfiets
- Fiets
- Lopen
- Overig

Vervoermiddelgebruik
in Nederland

Nieuwe grenzen van de snelheid werden verlegd door middel van tandwielen en kettingen. Deze werden in eerste instantie aan de as van het grote voorwiel toegevoegd. De 'veiligheidsfiets', met zijn ruitvormige frame, verlegde de aandrijving naar de achteras. Deze nieuwe, snellere fiets werd populair onder nieuwe groepen gebruikers.

Fabrikanten schakelden over op massa-productie en pasten logistieke planning aan om aan de vraag te voldoen. Als eerste experimenteerden zij in de productie van lopende banden. Fietsfabrikanten waren ook nauw betrokken bij het motoriseren van de fiets. Zij legden hiermee fundamenten voor de auto-industrie. Autofabrikanten Opel, Peugeot en de Nederlandse fabrikanten Simplex en Eysink, begonnen als fietsfabriek.

Het aantal voertuigen in Nederland nam begin twintigste eeuw zo snel toe dat er behoefte kwam aan technisch-wetenschappelijk onderzoek naar verkeer. Tellingen van het fietsverkeer in de jaren dertig toonden voor het eerst pieken in de verkeersintensiteit in de ochtend- en avonduren. Het spitsuur was geboren. Op knelpunten in het wegennet, zoals de roltrappen van de Maastunnel in Rotterdam, ontstonden in deze jaren de eerste rijen met wachtende fietsers; ook voor de file was de fiets een trendsetter. In 1955 stond bij het knooppunt Oudenrijn de eerste autofile, als gevolg van pinksterdrukte.

Toegenomen welvaart en transportmogelijkheden als fiets, brommer en auto veroorzaakten 'pendel' naar de steden. Analyses van verkeer werden uitgedrukt in nieuwe standaarden, toegespitst op het nieuwe symbool van individueel vervoer: de auto. De verkeersintensiteit van wegen werd gemeten in 'autoverkeer-equivalenten'. Mobiliteit werd een complexe uitdrukking in getallen, tijd en stromen die moesten worden gereguleerd.

Mobiliteit werd steeds meer beschouwd als een natuurlijk onderdeel van de moderne maatschappij. Deze gedachte lag ook ten grondslag aan de in 1977 door Geurt Hupkes geformuleerde Wet van Behoud van Reistijd en Verplaatsing (Brever).

Aan de hand van tijdsstudies van verschillende vervoersmiddelen ontdekte Hupkes dat personen gemiddeld ongeveer zeventig minuten per dag besteden aan woon-werkverkeer.

Deze wet abstraheerde mobiliteit naar een verband tussen de afstand, de snelheid van het vervoermiddel en de tijd. De Brever-wet definieerde mobiliteit als een dagelijkse bezigheid, zoals slapen, eten, werken en ontspanning. Het ontstaan van buitenwijken en forensisme kunnen met de wet en de ontwikkeling van de vervoersmiddelen worden begrepen.

Maar de Brever-wet staat ter discussie. Tijdsbestedingsonderzoeken tonen namelijk aan dat de gemiddelde reistijd per persoon geleidelijk oploopt. Mobiele telefoons, laptops en MP3-spelers vervagen de grens tussen reizen, werk, ontspanning en andere activiteiten nog verder. Met het begrip 'virtuele mobiliteit' proberen mobiliteitsdeskundigen vat te krijgen op de implicaties van deze nieuwe mogelijkheden. Mobiliteit is hierbij geen opzichzelfstaand onderdeel meer van het dagelijkse leven, maar naadloos verbonden met arbeid, studie en vrije tijd.

De toekomstige technische ontwikkelingen op het gebied van vervoers-middelen en mobiliteit vallen niet los te zien van ontwikkelingen in de andere bestedingen van tijd. Tijdsbesteding, kosten, communicatiemogelijkheden, milieu en gezondheid zullen nadrukkelijk een rol gaan spelen in de afweging van vervoers-middelen. Mobiliteit zal een mix blijven van verschillende vervoersmogelijkheden, waarbij een rol is weggelegd voor zowel lopen, auto, openbaar vervoer en nog altijd de fiets.

Een toegankelijk boek over transport is *Van transport naar mobiliteit, de mobiliteitsexplosie (1900-2000)*, van Ruud Filarski en Gijs Mom. Deel vijf van de boekenserie *Techniek in Nederland in de twintigste eeuw* gaat over transport en communicatie.

Ansichtkaart met DAF-modellen uit de jaren zestig

→ Nederland kent nog altijd een twintigtal fietsfabrieken, waarvan Accell Group (Batavus, Koga Miyata, Sparta) de grootste is. De productie van auto's en vliegtuigen is zo kapitaalintensief geworden dat Nederland internationaal niet meer meekon. Daf en Fokker gingen failliet, al kwamen er wel bedrijven uit voort die respec-tievelijk vrachtwagens en vliegtuigonderdelen maken. Sinds 1999 maakt het heropgerichte Spyker luxe sportwagens in Nederland. Nederland heeft nog wel een grote, internationaal opererende bussen-bouwer, de VDL Groep.

NANOTECHNOLOGIE

Op een schaal van
miljardste meters
liggen de bouwstenen
klaar voor een tech-
nologische revolutie

Knutselen met moleculen

MARTIN VAN DEN HEUVEL

IEDEREEN DIE KOFFIE ZET, WEET DAT JE JE KOFFIEBONEN EERST MOET malen voordat de bijzondere aroma's vrijkomen. Elke keer dat je de koffieboon in tweeën deelt, blijft het totale volume van de koffie gelijk, maar neemt het oppervlak van de boon toe (het snijvlak komt erbij).

Dit voorbeeld illustreert een algemeen principe, namelijk dat wanneer je materialen in kleine stukjes gaat opdelen, het belang van het oppervlak toeneemt ten opzichte van het volume. Veel materialen krijgen hierdoor andere eigenschappen. Dit is een reden waarom er tegenwoordig heel veel onderzoek wordt gedaan naar nanomaterialen, materialen ter grootte van miljoensten van een millimeter.

Daarnaast doen zich op nanoschaal kwantumeffecten voor. Eigenschappen zijn dan opeens niet meer zo eenduidig. Zo kan een elektron tegelijkertijd zowel linksom als rechtsom draaien, een eigenschap waarvan dankbaar gebruik wordt gemaakt voor nieuwe computergeheugens met een enorme capaciteit.

Nanotechnologie gaat dus over het manipuleren van materialen op nanometerschaal. Dat klinkt eenvoudig, maar het is te vergelijken met het boetseren van een kunstwerk op de maan, gezeten in een stoel op aarde.

Maar ruim twintig jaar geleden werd het makkelijker om op nanometerschaal te werken door de uitvinding van de scanning tunneling microscoop (STM)

→ De oorsprong van de nanotechnologie wordt vaak gelegd bij een lezing uit 1962 van de Amerikaanse Nobelprijswinnaar Richard Feynman, getiteld 'There's plenty of room at the bottom'. De term 'nanotechnologie' werd in 1974 bedacht door de Japanse fysicus Norio Taniguchi, vergeten en in 1986 opnieuw bedacht door de Amerikaanse ingenieur Kim Eric Drexler, waarna hij zich in het collectieve geheugen vastzette.

Logische schakelaar op basis van twee moleculen naphthalocyanine, onder de naald van een STM

Amerikaanse onderzoekers slaagden erin om een koolstofnanobuisje als een soort transportband te gebruiken om indium-atomen te verplaatsen.

en de atomaire krachtmicroscoop (AFM). Deze apparaten hebben het mogelijk gemaakt om atomen en moleculen voor het eerst te 'zien'. Zij scannen met een minuscuul naaldje de kleinste details van een oppervlakte, als een blinde die braille leest. De apparaten zijn zo gevoelig dat ze individuele atomen kunnen waarnemen. De implicaties van deze technieken zijn zo groot dat de uitvinders van de STM al vijf jaar na hun uitvinding de Nobelprijs ontvingen.

Met deze instrumenten is het niet alleen mogelijk gebleken individuele atomen waar te nemen, maar ook om ze te verplaatsen. In 1989 gebruikte onderzoeker Don Eigler van IBM de tip van een STM om individuele atomen over een oppervlak te verschuiven, en zo de naam van zijn werkgever te spellen. Slechts 35 atomen waren hiervoor nodig, waarschijnlijk de kleinste reclame-uiting ooit.

Op deze manier je baas op een voetstuk plaatsen is ongetwijfeld nuttig voor de kerstgratificatie, maar het is van weinig praktische waarde als je atomen één voor één moet manipuleren. Een van de grote praktische uitdagingen in de nanotechnologie is dan ook de efficiënte fabricage van nanostructuren. Dit wordt onder meer geprobeerd door zelfassemblage, waarbij de individuele bouwstukken elkaar als 'vanzelf' kunnen vinden.

Deze methode raakt aan het idee over nanotechnologie dat veel reacties teweegbrengt, zelfstandig opererende robotjes van nanometerafmetingen. Deze zouden ongekende mogelijkheden bieden, bijvoorbeeld op het gebied van de medische technologie. In de sciencefictionfilm *Fantastic Voyage* uit de jaren zestig, bijvoorbeeld, wordt een minuscule duikboot in de bloedbaan van een wetenschapper geïnjecteerd om een bloedstolsel te verwijderen. Voor mogelijke negatieve aspecten wordt gewaarschuwd in het boek *Prooi* van Michael Crichton, waarin een zwerm zichzelf reproducerende nanorobotjes het leven op aarde bedreigt. Gelukkig of niet, nanorobotjes zoals in de film of het boek zijn voorlopig (of misschien wel altijd) nog sciencefiction.

Hoewel onderzoekers nog lang niet zover zijn dat ze nanorobotjes kunnen maken – laat staan robotjes die zichzelf kunnen reproduceren – bestaan in de biologie wel tal van inspirerende voorbeelden. 'Biology is nanotechnology that works', zei de Amerikaanse wetenschapper Tom Knight daarover. In elke cel bevinden zich tientallen biomoleculen zoals rna en enzymen, die een scala van mechanische taken vervullen, zoals transport, assemblage of celdeling.

De echte publiekslievelingen van de nanotechnologie zijn toch wel de macro-moleculen die slechts bestaan uit koolstof en sinds de jaren negentig voortdurend onderwerp van onderzoek zijn fullerenen. In 1985 werd de buckybal ontdekt, een molecuul opgebouwd uit zestig koolstofatomen in de vorm van een voetbal.

Een ander (en meest bekend) fulleren is het koolstofnanobuisje, dat een doorsnede heeft van één nanometer en een lengte die kan variëren van micrometers tot millimeters. Deze buisjes hebben sensationele eigenschappen: ze behoren tot de sterkste materialen op aarde, zijn erg stabiel en vertonen bijzondere elektrische geleidingseigenschappen. Afhankelijk van hun structuur kunnen koolstofnano-buizen stroom geleiden zoals een metaal, of zoals een halfgeleider waarvan de basis-eenheid van de computer, de transistor, is gemaakt.

Nanotechnologie zit al in heel wat dagelijkse producten verwerkt en de verwachtingen voor de toekomst zijn hooggespannen. Al waarschuwen sommige wetenschappers voor een hype (en critici voor mogelijke gevolgen voor de gezondheid), het vakgebied is een van de wetenschapsgebieden waarvan nog veel nieuwe ontdekkingen te verwachten zijn. Waar de hoofdstukken over zwaarte-kracht en elektromagnetisme de komende eeuw weinig meer zullen veranderen, zal dit hoofdstuk voor *De bètacanon* van 2100 zeker grondig herzien moeten worden.

Aan boeken over nanotechnologie geen gebrek, van stevige kost tot inleidingen 'voor dummies'. Het Rathenau Instituut biedt op haar website een reeks aan publicaties over de maatschappelijke implicaties van nanotechnologie.

De voordracht 'There is plenty of room at the bottom' van Richard Feynman is na te lezen op www.zyvex.com/nanotech/feynman.html. De Amerikaanse nanopionier K. Eric Drexler heeft zijn boek *Nanosystems* met tal van nanomachinerieën goeddeeld online gezet op zijn site www.e-drexler.com. In Nederland worden de nanotech-initiatieven gebundeld door nanoned (www.nanoned.nl). Op www.nisenet.org/nano_media_finder is een keur van simulatievideo's van nanosystemen te bekijken.

→ Nederland kent twee grote universitaire instituten voor nano-technologie, het Kavli Instituut in Delft en Mesa+ aan de Univer-siteit Twente, met als paradepaardjes de nano-elektronica en complete chemische laboratoria op een enkele chip. Ook andere universiteiten hebben onderzoeks-groepen op dit terrein. In het Nederlandse bedrijfsleven houdt met name Philips zich met nanotechnologie bezig, terwijl het eveneens Eindhovense FEI een belangrijk leverancier is van STM's.

OVER DE AUTEURS

1 Vincent van der Noort (1980) studeerde wiskunde met een vleugje natuurkunde aan de Universiteit van Amsterdam. Hij werkt op het Mathematisch Instituut van de Universiteit Utrecht aan een proefschrift over symmetrie in objecten met oneindig veel dimensies.

2 Marit Brommer (1977) is geologe, zij promoveert aan de TU Delft op de ontwikkeling en dynamiek van kustsystemen in reactie op klimaatverandering.

3 Marc Strous (1971) studeerde scheikundige technologie aan de TU Delft. Hij promoveerde cum laude op de ontdekking van een ammoniumbacterie waarvan het bestaan tot dan toe voor onmogelijk werd gehouden. Strous is verbonden aan de Radboud Universiteit in Nijmegen.

4 Govert Valkenburg (1977) is elektrotechnicus en techniek-filosoof, hij studeerde aan de Universiteit Twente. Daarnaast deed hij klassieke zang aan het conservatorium. Momenteel werkt hij aan een proefschrift waarin de ontwikkelingen in de genetica vanuit de techniekfilosofie en de politieke filosofie worden beschouwd.

5 Ab Flipse (1977) is natuurkundige en wetenschapshistoricus. Hij schrijft een proefschrift aan de Vrije Universiteit Amsterdam over natuurwetenschap en levensbeschouwing. In 2005 verscheen zijn boek *Hier leert de natuur ons zelf den weg* over de geschiedenis van de faculteit Natuurkunde van de VU.

6 Sander van Doorn (1976) studeerde biologie in Utrecht. In 2004 promoveerde hij cum laude aan de Rijksuniversiteit Groningen op *Sexual Selection and Sympatric Speciation*. Hij werkt nu als post-doc aan de universiteit van Texas en het Santa Fe Institute. Van Doorn schrijft regelmatig over het spanningsveld tussen wetenschap en geloof.

7 Ionica Smeets (1979) is wiskundige. Zij doet promotieonderzoek aan de Universiteit Leiden. Samen met haar collega Jeanine Daems maakt zij de site www.wiskundemeisjes.nl. Deze werd bij de Dutch Bloggies 2007 zowel verkozen tot het best geschreven weblog als het beste themablog van Nederland en won in september ook de NFTVM award in de categorie 'Interactief'.

8 Huib Mansvelder (1968) is universitair hoofddocent neuro-biologie aan de Vrije Universiteit Amsterdam en lid van De Jonge Akademie; een groep jonge onderzoekers die zich wetenschappelijk hebben onderscheiden. Mansvelder onderzoekt hoe netwerken van hersencellen informatie opslaan, en hoe dit vermogen verandert bij blootstelling aan verslavende stoffen zoals nicotine en alcohol.

9 Tobias Tiecke (1979) is fysicus. Hij doet promotieonderzoek aan de Universiteit van Amsterdam naar 'de supervloeibare toestand', die ontstaat als stoffen worden afgekoeld tot bij het absolute nulpunt.

10 Jasper Poort is promovendus en aan het Nederlands Instituut voor Neurowetenschappen. Hij doet onderzoek naar visuele aandacht.
Pieter Roelfsema is onderzoeker aan het Nederlands Instituut voor Neurowetenschappen. Hij doet onderzoek naar visuele aandacht.

11 Fonger Ypma (1979) studeerde wiskunde en natuurkunde aan de Universiteit van Amsterdam. Hij promoveerde in 2008 op een onderzoek naar 'toepassingen van niet-commutatieve meetkunde in de quantummechanica' aan de Universiteit van Oxford. Hij werkt nu als consultant bij McKinsey & Company.

12 Tom Bloemberg (1981) studeerde scheikunde aan de Radboud Universiteit in Nijmegen. Als promovendus aan dezelfde universiteit probeert hij een computer te leren uit klinische metingen vroegtijdig af te leiden of nierpatiënten buikvlies-ontsteking ontwikkelen.

13 Bas Ponsioen (1977) is medisch bioloog. Hij doet promotieonderzoek aan het Nederlands Kanker Instituut. Met behulp van fluorescentie-microscopie bestudeert hij moleculaire signalen binnenin de cel en tussen cellen onderling.

14 Jeanine Daems (1980) studeerde wiskunde en wijsbegeerte van de wiskunde. Zij doet promotieonderzoek aan de Universiteit Leiden naar de geschiedenis van de wiskundige kristallografie. Samen met haar collega Ionica Smeets schrijft zij het weblog wiskundemeisjes.nl.

15 Ane Wiersma (1979) is geoloog. Hij doet aan de Vrije Universiteit promotieonderzoek naar klimaatveranderingen in het verleden. Hij richt zich met name op een koude periode 8200 jaar geleden. De periode trad waarschijnlijk in omdat gigantische meren, die zich achter een ijskap hadden opgebouwd, leegliepen in de Atlantische Oceaan.

16 Jelle Ritzerveld (1981) is astronoom. Hij promoveerde in 2007 aan de Universiteit Leiden op een nieuwe methode om het transport van licht door materie te volgen en te berekenen. Hij werkt nu als risico-analyst bij ABN-AMRO.

17 Irene Tieleman (1973) is biologe. Zij promoveerde cum laude op een onderzoek naar leeuweriken in droge gebieden. Op de Rijksuniversiteit Groningen geeft zij leiding aan een groep die onderzoekt hoe dieren omgaan met veranderingen in hun leefomgeving.

18 Nadine Vastenhouw (1977) werkt als post-doc op Harvard University aan embryonale stamcellen. Ze was pannellid in het wetenschapsprogramma *Nieuwslicht* van de VARA en is mede-auteur van het boek *In de toekomst is alles fantastisch*. Dat gaat over de nieuwste ontwikkelingen in de levenswetenschappen.

19 Liza Huijse (1980) is natuurkundige. Zij kreeg in 2006 de Pieter Zeemanprijs voor de beste natuurkundescriptie aan de Universiteit van Amsterdam. Daar doet zij nu promotieonderzoek naar de relatie tussen de eigenschappen van materie en de elementaire deeltjes waaruit die is opgebouwd.

20 Jeroen Wassenaar (1983) studeerde scheikunde aan de Universiteit van Amsterdam. Hij doet nu een promotieonderzoek aan deze universiteit in de groep van Joost Reek en ontwikkelt nieuwe supramoleculaire methodes om snel geschikte katalysatoren voor de productie van medicijnen te vinden.

21 Micha Bonn (1971) is hoogleraar fysische chemie, verbonden aan het FOM-Instituut voor Atoom en Moleculfysica. Hij bestudeert de manier waarop de celwand het transport van stoffen naar en van de cel reguleert.

22 Karlijn van Aerde (1978) studeerde medische biologie in Utrecht en promoveert aan de VU op hersenonderzoek. Tijdens haar studie had ze gedurende vier maanden een column voor *de Volkskrant* over haar stage in Manchester. In 1999, haar eerste studiejaar, organiseerde zij de Collegetrein: op vier vrijdagavonden gaven studenten onderweg colleges voor forensen.

23 Erik Danen (1965) is bioloog. Hij promoveerde aan de Radboud Universiteit op een onderzoek naar de 'handen en voeten' van de cel. Daarna werkte hij als onderzoeker in de VS, bij het Nederlands Kanker Instituut in Amsterdam en nu aan de Universiteit Leiden. Hij onderzoekt hoe cellen vanuit hun omgeving signalen binnenkrijgen die hun overleving, celdeling en beweeglijkheid beïnvloeden. En wat de implicaties hiervan zijn voor ziekteprocessen.

24 David Baneke (1979) is historicus, verbonden aan het Instituut voor Geschiedenis en Grondslagen van de Natuurwetenschappen van de Universiteit Utrecht. Hij legt schrijft daar een proefschrift over de rol van natuurwetenschappen in cultuur en maatschappij in de eerste helft van de 20ste eeuw.
25 Simon Verhulst (1963) is bioloog. Hij promoveerde aan de Universiteit Groningen zijn proefschrift ging over het voort-

plantingssucces van koolmezen op Vlieland. Zijn huidige onderzoek richt zich op vraag waarom mensen en dieren, na een periode van hard werken eerder overlijden.

26 Eric Berkers (1965) is historicus, verbonden aan de Technische Universiteit Eindhoven. Hij promoveerde op onderzoek naar de Rijkswaterstaat en publiceerde over geodesie en het kadaster. Momenteel onderzoekt hij het innovatieve vermogen van het Nederlandse bedrijfsleven en transities in de Nederlandse gezondheidszorg in de 20ste eeuw.

27 Jeanine Kippers (1973) is econometrist. Zij promoveerde aan de Erasmus Universiteit Rotterdam op empirisch onderzoek naar contante betalingen. Zij werkte in die tijd bij De Nederlandsche Bank en droeg onder meer bij aan de voorbereiding op de invoering van de euro in 2002. Momenteel beoordeelt zij risicomodellen binnen de Rabobank Groep.

28 Jeroen van Dongen (1974) is als wetenschapshistoricus en NWO Veni-Fellow verbonden aan het Instituut voor Geschiedenis en Grondslagen van de Natuurwetenschap van de Universiteit Utrecht. Hij studeerde theoretische natuurkunde aan de Universiteit van Amsterdam en promoveerde daar in 2002 op het werk van Einstein. Na een postdoc in Berlijn is hij sinds 2004 op het California Institute of Technology als redacteur betrokken bij de *Collected Papers of Albert Einstein*, de complete uitgave van Einsteins publicaties en correspondentie.

29 Appy Sluijs (1980) is paleoklimatoloog en biogeoloog. Hij werkt bij de sectie Paleo-ecologie van het Institute of Environmental Biology van de Universiteit Utrecht. Bij diezelfde universiteit promoveerde hij vorig jaar op onderzoek naar de fossiele broeikascatastrofe van het Paleoceen - Eoceen temperatuursmaximum.

30 Hester Bijl (1970) is Antoni van Leeuwenhoek hoogleraar bij de faculteit Luchtvaart- en Ruimtevaarttechniek aan de TU Delft. Zij werkt aan simulaties van stromingen rond vervormende vliegtuigvleugels en windturbinebladen. Daarbij neemt zij de invloed van onzekerheden in materiaaleigenschappen mee. Bijl studeerde Technische Wiskunde en Engelse Taalkunde en is gepromoveerd in de Numerieke Stromingsleer.

31 Margo van den Brink (1978) studeerde Cultuur- en Wetenschapsstudies aan de Universiteit Maastricht. Zij doet nu promotieonderzoek bij de leerstoelgroep Planologie van de Radboud Universiteit Nijmegen naar de modernisering van Rijkswaterstaat tot publieksgericht overheidsbedrijf.

32 Daan Wegener (1982) is wetenschapshistoricus en natuurkundige. Hij studeerde aan de Universiteit Utrecht en werkt daar nu aan een proefschrift over de verschillende connotaties van het energiebegrip in de Duitse cultuur tussen 1848 en 1914.

33 Marijn Luijten (1976) is bioloog. Hij werkt op de Universiteit Utrecht aan promotieonderzoek naar de identificatie van genen die zijn betrokken bij de patroonvorming en de stamcelidentiteit in planten. Het onderzoek leverde al twee publicaties in *Nature* op.

34 Thomas Groen (1978) studeerde tropisch landgebruik aan Wageningen Universiteit. Hij schreef een proefschrift over de effecten van vuur en begrazing op de vorming van vegetatiepatronen in savannes. Inmiddels werkt hij voor onderzoeksbureau DLO aan een model om te berekenen hoeveel biomassa uit bossen beschikbaar is voor de productie van biobrandstof.

35 Martine Maan (1974) is biologe. Zij promoveerde cum laude aan de Universiteit Leiden op de snelle soortvorming van cichlide vissen in het Afrikaanse Victoriameer. Op dit moment werkt ze als postdoc aan een onderzoek naar Panamese gifkikkers en is ze verbonden aan de Universiteit van Texas in Austin en het Smithsonian Instituut voor Tropisch Onderzoek in Panama.

36 Albert Kettner (1970) studeerde tropische bosbouw in Wageningen. Na drie jaar werken bij Rijkswaterstaat begon hij aan de TU Delft en de Universiteit van Colorado promotieonderzoek naar de effecten van klimatologische veranderingen en menselijk ingrijpen op de rivierafvoer van water en sedimenten. Hij werkt na zijn promotie in Colorado verder aan een riviererosie-project van de NASA.

37 Lucie de Nooij (1984) haalde een de bachelor natuurkunde met een minor economie aan de Universiteit van Amsterdam. Zij volgt daar nu de master deeltjesfysica. In 2007 liep zij stage bij CERN in Zwitserland.

38 Anneke van Heteren (1984) studeerde biogeologie in Leiden. Ze deed afstudeeronderzoek naar de hobbits op Flores. Sinds 2007 is zij PhD-student aan Roehampton University in Engeland.

39 Michelle van Roost (1978) studeerde levensmiddelentechnologie aan de Wageningen Universiteit. Tijdens haar studie heeft ze de informatiesite www.food-info.net mee opgezet. Na enige tijd voor vakbladen over voeding te hebben geschreven, is zij

nu verbonden aan Schuttelaar & Partners, een communicatieadviesbureau voor duurzaamheid en maatschappelijk ondernemen in de agri-foodsector.

40 Charles Mathy (1982) studeerde natuurkunde met een vleugje wiskunde aan de Universiteit van Amsterdam. Sinds 2005 werkt hij voor zijn promotieonderzoek bij de natuurkundeafdeling van Princeton University. Hij werkt aan extreem koude atoomgassen als simulatoren van verscheidene natuurkundige systemen, bijvoorbeeld supergeleiders en quantumcomputers.

41 Martin van Hecke (1967) studeerde natuurkunde aan de Universiteit van Amsterdam. Hij is in 1996 gepromoveerd aan de Universiteit Leiden op de theorie van patroonformatie. Na enige omzwervingen leidt hij nu in Leiden een groep die onderzoekt hoe zandkorrels, schuimbellen en andere deeltjes zich spontaan organiseren wanneer zij in beweging worden gebracht.

42 Martijn Wisse (1976) is afgestudeerd en gepromoveerd aan de TU Delft op menselijk lopende robots. Na een verblijf aan het Robotics Institute van Carnegie Mellon University werkt hij nu als universitair docent en hoofd van het Delft Biorobotics Laboratory aan mensachtige robots.

43 Staas de Jong (1980) behaalde zijn MSc. in de informatica aan de Vrije Universiteit Amsterdam, en is nu promovendus bij het Liacs aan de Universiteit Leiden. De Jong is vooral geïnteresseerd in tactiele interactie en muzikale interfaces voor computers en mensen.
Christian Jongeneel (1969) studeerde technische informatica aan de TU Delft en promoveerde aan diezelfde universiteit in de wetenschapsfilosofie. Hij is werkzaam als freelance journalist voor diverse tijdschriften. In april 2008 publiceerde hij het boek Het zit in een lab en het heeft gelijk, over de positie van de wetenschap in een democratiserende samenleving.

44 Daphne Stam (1969) studeerde natuurkunde aan de Vrije Universiteit Amsterdam, waar zij ook promoveerde. Zij is specialist in verstrooiing van licht in planeetatmosferen. Op Cornell University in de VS onderzocht ze de atmosferen van Saturnus, Uranus en Neptunus. Terug in Nederland die van exoplaneten. Nu onderzoekt ze aardachtige exoplaneten bij Lucht en Ruimtevaarttechniek aan de TU Delft en SRON, het Nederlands ruimteonderzoeksinstituut.

45 David van Paesschen (1984) behaalde zijn BSc in de Cognitieve Kunstmatige Intelligentie aan de Universiteit Utrecht. Tijdens die opleiding was hij mede herprichter van De Connectie, een landelijk blad over kunstmatige intelligentie. Hij volgt nu de masteropleiding Media Technology aan de Universiteit Leiden. Zijn interesse gaat uit naar menselijk redeneren en visuele perceptie.

46 Jesper Romers (1982) behaalde zijn BSc technische natuurkunde aan de TU Delft en studeert binnenkort ook af in de theoretische natuurkunde bij prof. dr. Sander Bais aan de Universiteit van Amsterdam. Zijn onderzoek richt zich op de toepassingen van topologie in quantumcomputers: een veelbelovende aanpak om een nieuwe generatie extreem krachtige computers te maken.

47 Robert van Rooij (1966) studeerde filosofie in Nijmegen en taalkunde in Tilburg. Hij is gepromoveerd in Stuttgart en nu verbonden aan het Institute for Logic, Language and Computation aan de Universiteit van Amsterdam (afdeling filosofie), waar hij een project leidt over taal en speltheorie.

48 Frederic van Kleef (1979) studeerde architectuur- en stedenbouwgeschiedenis aan de Rijksuniversiteit Groningen. Als promovendus aan dezelfde universiteit verricht hij onderzoek naar de invloed van de civiele techniek op de stedenbouwgeschiedenis in de 20ste eeuw.

49 Frank Veraart (1970) studeerde Techniek en Maatschappij aan de Technische Universiteit Eindhoven. Daarna werkte hij voor de Stichting Historie der Techniek en publiceerde onder andere over de historische ontwikkeling van het fietsverkeer. Hij schrijft een proefschrift over de geschiedenis van het computergebruik thuis, op scholen en in de grafische industrie.

50 Martin van den Heuvel (1978) studeerde Technische Natuurkunde aan de universiteit Twente en is in 2002 cum laude afgestudeerd bij Philips Research. Daarna is hij begonnen aan een promotieonderzoek aan de TU Delft binnen de vakgroep Moleculaire Biofysica onder leiding van Cees Dekker. Hij is in september cum laude gepromoveerd op een proefschrift dat onderzoek beschrijft op het grensvlak van de biofysica en de nanotechnologie.

INDEX

ILLUSTRATIEVERANTWOORDING

De uitgever heeft ernaar gestreefd de fotorechten te regelen volgens de wettelijke bepalingen. Degenen die desondanks menen zekere rechten te kunnen doen gelden, kunnen zich alsnog tot de uitgever wenden.

p. 1 Jean-Pierre Jans / *de Volkskrant*, p. 2 Raymond van der Meij / *de Volkskrant*, p. 16 Universiteit van Chicago, p. 17 Universiteit Leiden, p. 19 Museum Boerhaave, Leiden, p. 21 Universiteitsmuseum, Utrecht, p. 22 USGS, p. 23 NASA, p. 24 Dartmouth College, p. 25 Waterschap Regge en Dinkel, p. 26 Minnesota Health Department, p. 27 Museum Boerhaave, Leiden, p. 28 Bell Labs, p. 30 Intel, p. 31 IBM, p. 32 Global Sources, p. 34 Raymond Rutting, *de Volkskrant*, p. 35 ITER, p. 36 BSGF, p. 37 Universiteit van Amsterdam, p. 39 Dibner Library, p. 40 IBM, p. 42 Universiteit Barcelona, p. 43 IBM, p. 44 Dartmouth College, p. 46 Department of Health / CDC, p. 48 US Army, p. 50 National Archives and Records Administration, p. 51 Technische Universiteit Delft, p. 52 University of Wisconsin, p. 54 F.C. Donderscentrum, Nijmegen, p. 55 F.C. Donderscentrum, Nijmegen, p. 56 IBM, p. 58 Niels Bohr Archive, p. 60 USF&WS, p. 62 Dartmouth College, p. 63 homeoint.org, p. 64 NASA, p. 65 Photografische Gesellschaft, Berlin, p. 66 University of North Carolina, p. 68 Universal Pictures, p. 69 Biografisch Woordenboek Nederlandse Eiskundigen, p. 70 Universiteit Leiden, p. 72 University of Colorado, Boulder, p. 74 NASA, p. 75 KNMI, p. 76 NASA / Adolf Schaller, p. 78 NASA / JPL, p. 79 Universiteit Leiden, p. 81 Von Humboldt Universität, p. 82 USF&WS, p. 83 Krabben.net, p. 86 Department of Health / CDC, p. 88 CERN, p. 90 Koninklijke Bibliotheek, Den Haag, p. 92 Bayer, p. 94 Philips, p. 95 Bakeliet Museum, Belgie, p. 96 Element Displays, p. 97 Technische Universiteit Delft, p. 99 Texas A&M University, p. 100 Department of Health / CDC, p. 102 University of Wisconsin, Elisabeth Goodwin, p. 104 Department of Health / CDC, Janice Carr, p. 105 DSM, p. 106 Dartmouth College, p. 108 GeoforschunsZentrum, Potsdam, p. 109 Library of Congres, p. 111 KB, p. 114 China2008, p. 115 Alcor, p. 116 ESA, p. 117 TomTom, p. 121 Tinbergen Instituut, p. 124 Museum Boerhaave, Leiden, p. 125 Museum Boerhaave, Leiden, p. 126 HSTI, p. 127 *The Lancet*, p. 128 Universiteit Utrecht / Appy Sluijs, p. 130 USF&WS, p. 131 NASA, p. 136 Ikonos, p. 138 Martijn Beekman / *de Volkskrant*, p. 141 Boerhaave Museum, Leiden, p. 142 Bob Stein, p. 144 Darryl Leja NHGRI, p. 145 King's College, Londen, p. 146 King's College, Londen, p. 147 National Library of Medicine, p. 148 Simonsen Consulting, p. 151 Van Went & Zonen, p. 154 Brett Wilson, p. 155 CorporateFocus, p. 156 NIOZ, p. 158 JPL, Scripps Institutes, p. 161 Philips, p. 162 Bain Collection / Library of Congress, p. 164 Matson Collection, Library of Congress, p. 165 KB, p. 166 *Nature*, p. 168 Libary of Congress, p. 170 Museum Boerhaave, Leiden, p. 172 Sandia National Laboratories, p. 174 Xintec, p. 178 NASA, p. 180 Honda, p. 182 Robocup Federation, p. 185 Pennstate University, p. 188 NASA, p. 190 NASA, p. 191 ESA, p. 192 US Airforce, p. 194 Nokia, p. 196 NIST, p. 198 Phil Wherry, p. 200 Greatapetrust, p. 202 David Embick, p. 204 Gemeente Archief Amsterdam, p. 206 Ministerie VROM, p. 207 Casema, p. 208 Library of Congress, p. 210 CBS, p. 211 DAF, p. 212 Lawrence Berkeley National Laboratory, p. 213 Tom Harvey, p. 214 IBM